Parijs denk

Voor Jeroen Simons,
dankzij wie ik het boek kon schrijven
dat ik mij wenste.

Marijn Kruk

Parijs denkt

Een Republiek tegen de wereld

Boom | Amsterdam

Dit boek is mede tot stand gekomen dankzij een subsidie van het Fonds Bijzondere Journalistieke Projecten (www.fondsbjp.nl)

Verzorging omslag: Studio Jan de Boer, Amsterdam
Verzorging binnenwerk: Steven Boland, Amsterdam
Auteursfoto: Philip Provily

ISBN 978 90 8506 451 0
NUR 500, 740, 730

Inhoud

'Parijs, dat wil zeggen de stad van de Republiek, de stad van de vrijheid, de stad die uitdrukking geeft aan de revolutie door de beschaving, en die, van alle steden, het voorrecht heeft de menselijke geest nimmer tot een stap terug te hebben bewogen.'

VICTOR HUGO aan GEORGES CLEMENCEAU (januari 1876)

Dankwoord

Mijn dank gaat uit naar de mensen van Uitgeverij Boom en in het bijzonder naar Wouter van Gils, die mij het idee gaf voor dit boek. Tevens wil ik graag de volgende mensen bedanken voor hun nuttige commentaar: Thierry Baudet, Olivier van Beemen, Pieter van den Blink, Remke Kruk, Pieter van Os, Aukje van Rooden, Jeroen Simons, Luuk Slooter, Stefan de Vries, Patrick van IJzendoorn en Pol van de Wiel.

Inleiding

Zomaar een zaterdagavond in het dertiende arrondissement in Parijs. Vanaf de vierde etage vult een bewoner de straat met harde rapmuziek. Hij laat het niet bij een paar nummers, maar gaat door tot diep in de nacht. Tegen drieën rijdt een politiewagen voor. Twee agenten stappen uit, roepen iets richting het openstaande raam en bonken met gummiknuppels op een metalen garagedeur. Zo gaat het door tot tien minuten later een kleine brandweerauto komt aangereden. Twee brandweerlieden stappen uit en overleggen met een van de agenten. Een kwartier later duikt nog een politiewagen op, kort erna gevolgd door een tweede brandweerauto, een vijfentwintig meter lange ladderwagen ditmaal. Die wordt geparkeerd onder het raam waaruit de speakers nog steeds oorverdovende rapmuziek naar buiten pompen. Het gebrom van de motor moet een effect hebben gehad, want uit het raam steekt nu een hoofd en seconden later dimt de muziek. Terwijl inmiddels een stuk of tien geüniformeerde overheidsfunctionarissen op straat staan, laat de ladderwagen één voor één vier zware zuigerstangen naar beneden zakken. Brandweerlieden met blikkerende helmen leggen er dikke houten planken onder opdat het asfalt zodadelijk niet onder het gewicht van de zich opheffende brandweerauto zal bezwijken. Op de vierde verdieping blijft het nog steeds angstvallig stil. Na een kwartier is het dan zover: de drieledige ladder verheft zich, draait vijfenveertig graden en schuift uit tot het raam van de nachtbraker bereikt is. Twee brandweermannen, bijlen in de hand, beklimmen de ladder en stappen het raam op de vierde etage binnen.

Hoe het met de onfortuinlijke rapliefhebber afliep, vertelt dit verhaal niet. Een nachtje in de cel zal het minste zijn geweest.

Zijn lot was eigenlijk al bezegeld op het moment dat de eerste politiewagen voorreed en er een niet te stuiten machine in werking werd gezet. Als er zoiets bestaat als een typisch Franse manier van de dingen aanpakken, dan is de hierboven geschetste anekdote daarvan een exemplarisch voorbeeld. Een operatie wordt consequent en liefst ook met indrukwekkend vertoon van materieel uitgevoerd. En zeker niet voordat er van tevoren een gedetailleerde blauwdruk van is gemaakt. Ter illustratie daarvan is wel eens gewezen op de aanleg van de Kanaaltunnel. Waar de Britten zich al improviserend een weg naar de overkant vochten, vielen de Fransen juist op door hun doordachte en consequente aanpak. Dat beide tunnelhelften uiteindelijk op elkaar aansloten, mag een klein wonder heten. De Franse aanpak vindt zijn oorsprong in wat je een voorliefde voor het abstracte, het theoretische zou kunnen noemen. Frankrijk blijft tenslotte het land van René Descartes. De Verlichting breidde diens overtuiging, dat de ware natuur in essentie rationeel is, uit naar de mens en de samenleving en verklaarde wetten uit de natuurwetenschappen toepasbaar op terreinen als de ethiek, de politiek en de economie. Het geloof in de ratio bereikte zijn hoogtepunt tijdens de Franse Revolutie met een kortstondige *Culte de la Raison*, ter vervanging van de katholieke kerk. Maar ook de leiders van de Derde Republiek (1870-1940) beschouwden de ratio als een onontbeerlijk instrument voor de transformatie van individuen naar verantwoordelijke staatsburgers. De *école laïque*, de republikeinse school, bood volgens hen daarvoor het uitgelezen kader.

Een complete geschiedenis van het idee van de Rede in Frankrijk voert in dit bestek wat ver, maar dat de gehechtheid aan rationaliteit bij Fransen nog altijd groot is, staat vast. Alsof zij tot in het oneindige bezig zijn zich los te maken van de dogma's van de katholieke kerk, de institutie waar de achttiende-eeuwse *philosophes* en later de republikeinen zich destijds zo strijdlustig tegen verzetten. Als Nederland een land is van dominees en kooplieden, dan is Frankrijk een land van ingenieurs en filosofen. De beste worden afgeleverd door respectievelijk de Ecole polytechnique en de Ecole normale supérieure, niet toevallig ook de twee meest prestigieuze opleidingen van het land. *Polytechniciens* zijn dan ook geen ordinaire bruggenbouwers, maar blinken uit in disciplines als wiskunde, fysica en informatica; onder de *normaliens* tref je nagenoeg alle grote filosofen die Frankrijk de afgelopen eeuw heeft voortgebracht, van Sartre tot Derrida. De op dergelijke *Grandes Ecoles* beleden voorliefde voor rationaliteit en theorievorming heeft veel mooie dingen opgeleverd. Denk maar aan alle denkrichtingen die de Franse filosofie heeft voortgebracht, van positivisme tot structuralisme. Of neem het technisch vernuft dat Franse ingenieurs tentoonspreidden, van de Eiffeltoren tot de TGV. Maar blauwdrukken zijn niet bedoeld om doorlopend herzien te worden, net als een denkrichting geen rekening kan houden met ieder element in de reële wereld.

De voorliefde voor theoretiseren heeft dan ook een keerzijde: voor de ingenieurs een onvermogen in te springen op plotselinge veranderingen; voor de filosofen een verblinding waar het gaat om het waarnemen van de wereld zoals hij is. Het gevaar het doel voorbij te schieten, ligt steeds op de loer. Ook daarvan zijn sprekende voorbeelden te geven. Het jachtvliegtuig Rafale bijvoorbeeld, een wonder van techniek, maar tegelijk zó geavanceerd, dat men buiten Frankrijk toch meestal de voorkeur geeft aan een stugge Lockheed. Of neem het rollende tapijt bij Montparnasse, dat metroreizigers niet met drie, maar met *negen* kilometer per uur van de ene naar de andere kant van het station moest brengen. Alleen: de reizigers konden maar steeds niet wennen aan de progressief opgebouwde snelheid. En bovendien was het apparaat vrijwel de hele tijd kapot. Wat de filosofen aangaat: hoeveel weerzinwekkende regimes hebben Franse intellectuelen gedurende de afgelopen eeuw niet verdedigd in naam van 'de revolutie', 'het volk', of 'de gelijkheid', goede bedoelingen daargelaten? Hoe vaak hebben zij mens en samenleving niet in gedachten herschapen, zonder zich iets gelegen te laten liggen aan de wereld zoals hij in werkelijkheid is?

De Ecole normale supérieure toont in het klein hoe de voorliefde voor abstractie en theoretiseren tot het mooiste en het slechtste kan leiden. De school leverde fijnzinnige analytici en krachtige denkers af, maar viel ook menigmaal ten prooi aan ideologische verdwazing. Ook op het niveau van de staat komt dat tot uitdrukking. Die staat heeft als vorm een republiek, maar in Frankrijk is dat niet zomaar een staatsvorm. *La République française*, dat is de belichaming van universele idealen als mensenrechten, gewetensvrijheid, emancipatie van het individu, triomf van de Rede. De Republiek, dat is de kristallisatie van het eerder beschreven Verlichtingsidee dat mensen niet alleen gelijk zijn, maar ook rationele wezens. De voordelen van zo'n universalistische waardenset zijn evident: ze bieden een gemeenschappelijk referentiepunt, zonder dat onderscheid gemaakt wordt naar ras, cultuur of religie. Tegelijk bestaat in Frankrijk de neiging het ideaal voor de werkelijkheid te houden. Zo verhindert het stug volgehouden gelijkheidsideaal het bijvoorbeeld om de stagnerende integratie van immigranten onder ogen te zien. Politiek en rechtspraak sluiten maatschappelijke debatten in Frankrijk regelmatig kort met een beroep op 'de waarden van de Republiek'. Ook op het niveau van de staat gaat het uiteindelijk om *grands principes* en niet om pragmatische arrangementen.

Ideeën zijn in Frankrijk alomtegenwoordig. Het nieuwste boek van een belangwekkend geachte denker staat gewoon in de etalage bij de sigarenboer op de hoek. Zelfs gedurende de zomervakantie weten de Fransen van geen ophouden. Tijdens de zogeheten *Rencontres de Pétrarque* in juli debatteren vooraanstaande denkers in de stad Montpellier over vragen als 'Is het liberalisme werkelijk dood?' of 'Naar een ideologische wederopstanding?'. In augustus organiseert dagblad *Libération* jaarlijkse 'ontmoetingsdagen' in een steeds wisselende provinciestad. Een keur aan politici en intellectuelen, uit binnen- en buitenland, bezoekt dit populaire evenement. De nazomer behoort toe aan de *Vendanges de Malagar* nabij Bordeaux. Hier duidt een select gezelschap van wetenschappers, romanciers, politici en journalisten in huiselijke sfeer de wereld. Daarna verplaatst het toneel zich weer naar de hoofdstad. Parijs blijft nu eenmaal het centrum van de Republiek der ideeën, zoals Parijs van (bijna) alles in Frankrijk het middelpunt is. Deze uitwisseling van ideeën vindt plaats in het parlement, in de studio's van de grote radio- en televisiezenders, in de kolommen van kranten en tijdschriften, in cafés en boekhandels en uiteraard op de tientallen universiteiten en *Grandes Ecoles* die de stad rijk is. Er gaat geen uur voorbij of er begint wel ergens een *séminaire*, een *colloque* of een *table ronde*. Ideeënuitwisseling is daarbij overigens misschien niet helemaal het goede woord, want regelmatig gaat het er hard aan toe. Je neemt je eigen ideeën serieus of niet, en in een land waar zeer afwijkende visies op de wereld naast elkaar bestaan kan dat tot heftige confrontaties leiden.

'In Frankrijk speelt het debat zich niet alleen af tussen rivaliserende ambities en afwijkende meningen, maar tussen de meest onverzoenlijke belangen en de meest tegengestelde ondernemingen.' Dat schreef François Guizot in 1816. De conservatief-liberale historicus en staatsman refereerde aan het conflict tussen aanhangers van het *Ancien régime* en die van de Revolutie. De contemporaine Franse geschiedenis is bezaaid met conflicten die diepe maatschappelijke scheuren veroorzaakten: tussen de katholieke kerk en de Republiek, tussen *dreyfusards* en tegenstanders van de wegens hoogverraad veroordeelde Joodse kapitein Alfred Dreyfus, tussen gaullisten en communisten, tussen voor- en tegenstanders van de Algerijnse onafhankelijkheid, tussen *soixante-huitards* en degenen die de erfenis van '68 willen 'liquideren'. Van die conflicten duurt dat over 1968 nog steeds voort, en de islam heeft de plaats van de katholieke kerk ingenomen. En zo komt het dat het Franse publieke debat niet alleen theoretisch zeer rijk, maar ook bijzonder geanimeerd is. *Parijs denkt* beoogt een impressie te geven van dat debat, maar ook van de intellectuelen die het aanjagen en vormgeven. Het beeld dat opdoemt is dat van een land dat zichzelf zoekt. Daarin staat Frankrijk natuurlijk niet alleen: ook elders in Europa bezint men zich over de gevolgen van de immigratie, de plaats van religie in de samenleving of de positie ten opzichte van het eigen verleden en de omliggende wereld. Een model bieden kan Frankrijk niet, daarvoor zoekt het zichzelf te zeer op eigen wijze. Wél houdt het ons een spiegel voor die uitnodigt tot bezinning op onze eigen manier van naar de dingen kijken.

Marijn Kruk, Parijs, oktober 2009

HOOFDSTUK 1

De vele gezichten van de Franse intellectueel

Van oudsher spelen intellectuelen een belangrijke rol bij het aanjagen van het Franse publieke debat. Tegelijk zijn ze er zelf ook onderwerp van. Zo klinkt met enige regelmaat de vraag of de intellectueel niet zijn langste tijd heeft gehad. Voor het uitsterven van de soort lijkt vooralsnog niet te hoeven worden gevreesd.

De lucht is bedompt en de stoelen doorgezakt. Glamoureus is het collegezaaltje in de rue d'Ulm moeilijk te noemen. Op het podium staat een armetierig rijtje plastic zitjes met daarop haastig gemaakte kopietjes waarop de namen van de gasten staan geschreven. Uit niets valt op te maken dat hier binnen enkele ogenblikken de *fine fleur* van het Parijse intellectuele sterrendom zal optreden: de filosoof Bernard-Henri Lévy, beroemder vanwege zijn tot de navel ingesneden overhemden dan vanwege zijn ideeën; de essayist Pascal Bruckner, internationaal bekend vanwege zijn strijd tegen het multiculturalisme; de feministe Caroline Fourest, bestrijdster van religieus fundamentalisme in het algemeen en islamitisch radicalisme in het bijzonder; de journalist Laurent Joffrin, hoofdredacteur van het ooit door Sartre medeopgerichte dagblad *Libération* en ten slotte Monique Canto-Sperber, directrice van de Ecole normale supérieure – de school die generaties Franse intellectuelen opleidde en onderdak biedt aan de bijeenkomst. Canto-Sperber gaat steevast gekleed in een mantelpakje van Chanel en zal ook deze avond het toonbeeld van elegantie blijken.

Wat heeft al deze prominenten er op deze gure avond in februari toe gebracht zich naar een slecht verlicht zaaltje in het Quartier Latin te begeven? Simpel: Ayaan Hirsi Ali. Van de Nederlandse regering heeft de activiste en oud-politica te verstaan gekregen dat zij niet langer bereid is op te draaien voor haar beveiliging. Wel in Nederland, maar niet meer in de Verenigde Staten, waar Hirsi Ali sinds 2006 woonachtig is. Daarom is een aantal prominente Franse intellectuelen een actie gestart om haar het Frans staatsburgerschap te geven. Wat zij daaraan zal hebben is niet helemaal duidelijk, aangezien uit niets blijkt dat de Franse regering wél voor haar beveiliging in de Verenigde Staten zal betalen. Toch blijft het effect niet uit. President Sarkozy belooft bij monde van zijn staatssecretaris voor de mensenrechten dat hij zal ijveren voor de oprichting van een Europees fonds waaruit de beveiliging van prominente mensenrechtenactivisten gefinancierd zou kunnen worden. Inmiddels is Hirsi Ali onder luid applaus de zaal binnengekomen. Er is maar plaats voor een paar honderd toeschouwers, maar buiten in de kou staan er ten minste nog eens duizend. Lévy, beter bekend als BHL, houdt met gebalde vuist een vlammend betoog waarin hij Hirsi Ali voorstelt als een martelares van het vrije woord en als kampioene van de *laïcité*, zoals het principe dat de scheiding tussen kerk en staat regelt in Frankrijk wordt genoemd. Eigenlijk, zo betoogt Lévy, is het verlenen van de Franse nationaliteit aan haar slechts een formaliteit. Uit de waarden die Hirsi Ali uitdraagt blijkt immers dat ze eigenlijk allang *Française* is. Lévy lijkt hier de Parijse intellectueel ten voeten uit: strijdend tegen obscurantisme of op de bres voor een universeel principe als de vrijheid van meningsuiting. En wat spreekt er meer tot de verbeelding dan die vrijheid verpersoonlijkt te zien door 'de Zwarte Voltaire' Hirsi Ali?

Vanuit het nuchtere Nederland wordt het mediaoffensief van BHL c.s. met een mengeling van irritatie, spot en verbazing bekeken. 'Gratuite praatjes', klinkt het in krantencommentaren. Of: 'Lévy en Bruckner zijn geen echte intellectuelen; ze *spelen* intellectueeltje.' Mag het alstublieft een onsje minder, luidt de boodschap. Nu zijn er zeker vraagtekens te plaatsen bij het soortelijk gewicht van figuren als BHL, maar 'intellectueeltje spelen' is in zekere zin een verwijt dat voor alle Franse intellectuelen opgaat, gedoemd als zij zijn tot het eeuwig naspelen van die ene oerscène waarvoor het scenario geschreven werd tijdens de Dreyfus-affaire (1894-1906). De joodse legerkapitein Alfred Dreyfus werd toen, na valselijk te zijn beschuldigd van hoogverraad, verbannen naar het Duivelseiland voor de kust van Frans-Guyana. De Affaire (steevast geschreven met een hoofdletter) zette de maatschappelijke verhoudingen dusdanig op scherp dat zij qua impact wel is vergeleken met de Franse Revolutie. Niet alleen werd tijdens de Dreyfus-affaire het woord 'intellectueel' gemunt, ook leverde een schrijver als Emile Zola bij die term het model waar Franse intellectuelen zich tot op de dag van vandaag aan spiegelen: de man of vrouw die opkomt voor een universeel principe en daarmee uitstijgt boven de belangen van een klasse, regering, natie, ras enzovoort.

Als de scène in de *Ecole normale supérieure* dus een moment van déjà vu opriep, dan moet BHL en de zijnen worden nagegeven dat zij niet de eersten zijn die een reprise van het nu ruim honderd jaar oude theaterstuk opvoerden. Denk bijvoorbeeld aan de ontvangst van een aantal Sovjet-dissidenten in de jaren zeventig, op hetzelfde moment dat president Giscard d'Estaing elders in Parijs de Russische leider Brezjnev ontving. De laatsten zijn zij evenmin: zo mobiliseerden radicale én liberale intellectuelen zich eind 2008 ten faveure van Julien Coupat. Deze jonge anarchist werd door de Franse justitie opgepakt op verdenking van sabotageacties tegen een aantal TGV-treinen. Hoewel er nimmer mensenlevens in het geding waren geweest, luidde de aanklacht 'terrorisme'. Voor intellectuelen, van extreem-links tot liberaal, was dat een teken van de doorgeslagen veiligheidsobsessie van de Franse samenleving. Waar BHL c.s. zich bediende van de stijlfiguur van de gemediatiseerde bijeenkomst, daar maakten Luc Boltanski, Alain Badiou, Giorgio Agamben en al die andere filosofen die voor Coupat in de bres sprongen gebruik van de niet minder klassieke figuur van het ingezonden stuk en de petitie. En zo initieert, animeert, dirigeert en arbitreert de intellectueel in Frankrijk het publieke debat. De intellectueel doet in Frankrijk dus nog steeds volop mee.

'Hij is een sociale figuur, zoals in de negentiende eeuw de notaris, de dokter en de priester dat waren', zegt Marc-Olivier Padis, redactiechef van *Esprit*, het oudste Franse intellectuele tijdschrift, in zijn werkkamer. 'Het is als in een schaakspel. Je hebt stukken nodig en de intellectueel is er daar een van.' Geregeld wordt Padis benaderd met de vraag 'of hij nog een intellectueel weet', meestal door organisatoren van een symposium of een debat. Ze hebben dan al een politicus, een deskundige en een betrokken burger, maar een intellectueel mag natuurlijk niet ontbreken. 'Je ziet dat ook op het Elysée', vervolgt Padis. 'Ook daar worden traditiegetrouw intellectuelen uitgenodigd om te discussiëren met de president.' Met een verklaarde anti-intellectueel als Sarkozy ('Ik ben intellectueel noch ideoloog, ik ben concreet') leidt dat gebruik af en toe tot surrealistische taferelen. In zijn vaste column in weekblad *Le Nouvel Observateur* deed de historicus Jacques Julliard, tevens samensteller van een vuistdikke *Dictionnaire des intellectuels français*, een boekje open over zo'n ontmoeting. Een echt gesprek bleek niet de bedoeling. Sarkozy belde wat met zijn echtgenote Carla Bruni, die op dat moment de laatste hand legde aan haar nieuwe cd, en greep de kans aan zijn gasten het horloge te laten zien dat hij van haar had gekregen. Julliard noteerde: 'Zie ik u daar naar mijn horloge kijken? Mooi is-ie hé? Van platina. Hij springt een stuk minder in het oog dan een Rolex, maar hij is vier keer zo duur. Carla heeft gewoon het duurste horloge uit de winkel gevraagd.' Julliard keek niet eens in de *richting* van het horloge.

Padis lacht bij het memoreren van deze anekdote en wijst op een interview met een prominente adviseur van Sarkozy, die vertelde hoe ze in de aanloop naar de presidentsverkiezingen af en toe rondetafelgesprekken organiseerde met prominente Franse intellectuelen. Sarkozy monopoliseerde bij die gelegenheden dusdanig de conversatie, dat ze besloot voortaan gewoon maar weer geschreven nota's aan te leveren. In dat opzicht verschilt de huidige president nogal van Napoleon Bonaparte, met wie hij in Frankrijk vaak vergeleken wordt. Toen deze in 1797 toetrad tot het Institut de France schreef hij tot de aldaar zetelende wetenschappers: 'alvorens uw gelijke te zijn, zal ik eerst nog heel lang uw leerling moeten zijn'. Toch beseft ook Sarkozy heel goed dat hij intellectuelen nodig heeft, al is het maar voor de sier. 'Je wint nooit dankzij intellectuelen, maar je kunt ook niet zonder ze', liet hij zich eens ontvallen. Hoezeer Sarkozy van dat besef doordrongen is, bleek wel uit de pogingen die hij ondernam om BHL zover te krijgen hem tijdens de verkiezingstrijd te steunen, zoals eerder de filosoof André Glucksmann dat gedaan had. In *Ce grand cadavre à la renverse* (2007), het boek waarin hij de overlijdensakte opmaakt van de Parti Socialiste, beschrijft Lévy hoe Sarkozy hem opbelt en hem zoetgevooisd probeert te overreden 'samen een revolutie te gaan ontketenen'. Lévy hield zijn poot stijf, maar geeft toe dat hij eigenlijk geen goede reden kon verzinnen om op links te stemmen, behalve dan dat het zijn 'politieke familie' was en je 'je familie niet verraadt'.

Als de intellectueel in Frankrijk zo nadrukkelijk onderdeel uitmaakt van het landschap, dan is dat volgens Padis voor een deel te verklaren uit het feit dat de Franse intellectuele cultuur er een is van de salon. 'Heel anders dan in Duitsland, waar een meer academische cultuur heerst met een dito gezag voor eruditie. Wat in Frankrijk telt is vooral de elegantie van de formulering. *Si non è vero, è ben trovato* [Als het niet waar is, dan is het nog steeds goed gevonden] is het Franse credo. De feiten zijn, anders dan in bijvoorbeeld Engeland, minder belangrijk. Als een of andere universitaire zwaargewicht een bestseller van BHL aan flarden rijt omdat de feiten niet kloppen, dan zegt men hier eenvoudig "en wat dan nog?"' 'Vergeet ook niet', vervolgt Padis, 'dat de intellectueel bij de Republiek hoort als de priester bij de katholieke kerk; de intellectueel is diens seculiere evenknie. Het is ook geen toeval dat het woord *clerc* zowel intellectueel als priester kan betekenen. De jacobijnen wilden een elite van verlichte onderwijzers die de waarden van de Republiek moesten uitdragen en stichtten daarom in 1794 de *Ecole normale supérieure*. In wezen aapten zij daarmee de kerkelijke organisatie na. Dat is een essentieel inzicht voor iedereen die de rol van intellectuelen in het moderne Frankrijk probeert te begrijpen. De katholieke kerk functioneerde als contramodel, als negatief voor de stichters van de Republiek. Ze richtten hun eigen tempel op, inclusief eredienst, catechismus en priesters om die catechismus te onderwijzen. Het negentiende-eeuwse conflict tussen de republikeinen en de katholieken, met de *laïcité* als inzet, is in zekere zin dan ook het conflict tussen tweelingbroers.'

TIJDSCHRIFT KONING VAN DE REPUBLIEK DER IDEEËN

'Parijs denkt tijdens de lunch', schreef de criticus Paul Depondt in een vermakelijke bespreking van *Les Intellocrates*. In deze klassieker ondernemen auteurs Hervé Hamon en Patrick Rotman een 'expeditie naar de wereld van de *haute intelligentsia*' – de Parijse grachtengordel zeg maar. Veel verder reizen dan het zesde arrondissement hoeven ze niet. In dat kleine gebied – met een uitloop naar het vijfde en het zevende, zetelen immers nagenoeg alle grote uitgevershuizen, boekhandels en tijdschriftredacties. En niet onbelangrijk: daar bevindt zich het fijnmazige netwerk van restaurants, brasseriën en cafés waar uitgevers, journalisten, schrijvers en intellectuelen elkaar ontmoeten om de laatste nieuwtjes uit te wisselen. *Les Intellocrates* werd gepubliceerd in 1981, maar *le village à l'heure du répas*, het 'dorp rond lunchtijd', dat Hamon en Rotman zo minutieus beschreven, bestaat nog steeds. Men ontmoet elkaar in Café de Flore, in Brasserie Lipp – beide aan de boulevard Saint-Germain – of in de Bistro de Paris in de rue de Lille. In die eetgelegenheid verzamelt zich iedere maand de redactieraad van het liberale tijdschrift *Commentaire*. Vanachter een bordje met gefrituurde preisalade nemen Alain-Gérard Slama (columnist bij *Le Figaro*), Jean-Claude Casanova (directeur van *Commentaire* en de huidig president van de stichting waar ook het beroemde Institut d'études politiques onder valt), Philippe Raynaud (filosoof) met nog een twintigtal meer of minder bekende intellectuelen op beschaafde toon de wereld door. Elk van de aanwezigen heeft een stelling voorbereid waaruit Casanova een selectie maakt. En zo gaat het over Poetin en de toekomst van de Russische democratie, de toestand in het Midden-Oosten en de eeuwige crisis bij de Parti Socialiste.

Het nec plus ultra van intellectuele gedachte-uitwisseling blijft het klassieke tijdschrift. Daar reflecteert de Franse intelligentsia pagina's lang over zaken als het 'ultra-antiliberalisme', de illusies van het Franse hoger onderwijs of het verantwoorde gebruik van Carl Schmitt. Er zijn er meerdere, maar tijdschriften als *Esprit*, *Commentaire*, *Le Débat* en *Les Temps modernes* (allemaal met een oplage van tussen de vijf- en tienduizend exemplaren) gelden als de meest prestigieuze. Het financieel onafhankelijke *Esprit* heeft zich nooit opgehangen aan één persoon. *Commentaire* en *Les Temps modernes* deden dat wel, en nog steeds is het gedachtegoed van hun respectievelijke oprichters, te weten Raymond Aron en Jean-Paul Sartre, in de kolommen terug te vinden. Het invloedrijke, in 1980 door de historicus Pierre Nora opgerichte *Le Débat* plaatst zich nadrukkelijk buiten een politiek-ideologische bloedgroep en fungeert verder als krachtige ideeënmachine voor uitgeverij Gallimard. De tijdschriften verschijnen één-, twee- of driemaandelijks en hebben de omvang van een boek, met dienovereenkomstige prijs.

Volgens Marc-Olivier Padis van *Esprit* is het intellectuele tijdschrift in Frankrijk het resultaat van een zeker tekortschieten van de universiteit. 'Bijna allemaal zijn ze opgericht door mensen die op een goed moment uit de universiteit getreden zijn. Het beste voorbeeld daarvan, en dat ook een belangrijk model is geweest voor *Esprit*, was Charles Péguy met zijn tijdschrift *Les Cahiers de la Quinzaine*.' De nogal raadselachtige figuur van Péguy is in Frankrijk een inspiratiebron voor zowel rechtse als linkse intellectuelen. Wellicht komt dat door zijn talrijke gezichten: hij was socialist en katholiek, speelde een vooraanstaande rol in de Dreyfus-affaire, verdedigde de waarden van de Republiek en bepleitte een mystiek patriottisme, waarbij hij zich beriep op Jeanne d'Arc. 'Péguy vluchtte weg van de *Ecole normale supérieure* en begon een boekwinkel annex tijdschrift, gericht tegen de almachtige Sorbonne. Zijn zaak was gevestigd in de rue Cujas, daar pal tegenover – een symbolische daad. Iets dergelijks geldt voor Emmanuel Mounier, de oprichter van *Esprit*, die besloot zijn academische carrière af te breken en een eigen tijdschrift op te richten. De overheidsdienst verlaten en je eigen winkeltje beginnen, dat is in Frankrijk een heel krachtige, bijna existentiële daad.' Naar de mening van Padis schiet de universiteit in zoverre tekort dat sommige debatten binnen haar muren niet kunnen worden gevoerd. Het bekendste voorbeeld is het zogeheten totalitarismedebat uit de jaren zeventig en tachtig van de vorige eeuw. Het marxisme en het structuralisme waren in de Franse academische wereld dermate dominant dat het noodzakelijke debat daarover niet binnen de universiteitsmuren kon worden gevoerd. De tijdschriften *Esprit*, *Commentaire* en *Le Débat* vormden toen een gezamenlijk front, het *front antitotalitaire*, dat instrumenteel zou zijn in de (rijkelijk late) afrekening met het marxisme.

Behalve een aanvullende rol op de universiteit hebben de intellectuele tijdschriften volgens Padis nog een tweede belangrijke rol: het entameren van fundamenteel politiek debat. 'Politieke partijen in Frankrijk kampen met een onvermogen om over zichzelf na te denken. Kijk maar naar de Parti Socialiste en de ideeënarmoede die daar al jaren heerst. Dat debat wordt noodzakelijkerwijs buiten de partijen om gevoerd en daarin spelen de tijdschriften een essentiële rol.' Befaamd is de jaarlijkse *tour d'horizon* van de filosoof Marcel Gauchet in *Le Débat*, waarin hij met steeds wisselende gesprekspartners de ontwikkelingen in de Franse politieke wereld tegen het licht houdt. 'Juist dat soort stukken geeft het klassieke tijdschrift in het publieke debat nog altijd veel gewicht', zegt Padis. 'Bij gebrek aan ruimte in de kranten en ontbreken van een goede weekbladpers komt nog steeds veel neer op de schouders van de intellectuele tijdschriften. Ze hebben noodzakelijkerwijs ook meer afstand tot de actualiteit. Een blad als *Esprit* verschijnt tien keer per jaar en kan dus op twee snelheden tegelijk te opereren. Reflectie is mogelijk, maar we kunnen ook inhaken op actuele gebeurtenissen, zoals we lieten zien in specials over de onlusten in de *banlieue*, het *sarkozysme*, de economische crisis of *Le Grand Paris* – het architectonische megaproject dat beoogt de kloof te slechten tussen het negentiende-eeuwse centrum en de twintigste-eeuwse voorsteden.'

'BHL': EVEN OMSTREDEN ALS ONONTKOOMBAAR

Twee snelheden of niet, voor de publieke meningsvorming is een medium als *Esprit* uiteindelijk toch minder geschikt. Die vraagt om een grotere frequentie en een breder publiek. Net als in andere landen zijn daar andere media voor: weekbladen, kranten, internet en natuurlijk radio en televisie. Maar zodra denkers zich in dergelijke fora roeren, worden zij *publiek*, en lang niet iedereen ambieert dat of beschikt over de eigenschappen die nodig zijn om zich in die arena overeind te houden: kort en bondig kunnen formuleren, provocatief zijn, er als het even kan aantrekkelijk uitzien en over alles kunnen meepraten. Dit is het domein waar filosofen als Alain Finkielkraut, Pascal Bruckner, Michel Onfray en André Glucksmann schitteren. Zij incarneren wat in Frankrijk doorgaat voor een *intello*, en dat is nadrukkelijk iets anders is dan een *intellectuel*. Volstaat voor de laatste een combinatie van een universitair docentschap, een kloek geschreven essay en een provocatief artikel op een opiniepagina, het predicaat 'intello' vereist het vleugje sterrenstof dat alleen televisie kan geven. Intello's hebben de status van popsterren, worden verafgood en verguisd en vormen het onderwerp van 'enquêtes' in de glossy weekbladen ('Zijn de intello's verrechtst?' 'Waar dienen de intello's eigenlijk voor?' 'Zijn er nog wel intello's?'). Regelmatig klinkt het verwijt dat de intello's té publiek geworden zijn, dat zij eigenlijk alleen nog maar op televisie bestaan en het serieuze denkwerk hebben overgelaten aan diep in hun ivoren torens weggestopte filosofen.

Iemand die vaker dan anderen aan dergelijke kritiek blootstaat, is Bernard-Henri Lévy. Dat bleek wel uit de vuistdikke biografie van de onderzoeksjournalist Philippe Cohen, tevens coauteur van het geruchtmakende boek tegen dagblad *Le Monde*: *La Face cachée du Monde* (2003). Naar eigen zeggen wilde Cohen aan de hand van de casus BHL proberen te begrijpen hoe een nieuwe sociale figuur – de media-intellectueel – heeft kunnen ontstaan en hoe die figuur uiteindelijk heeft kunnen uitgroeien tot de dominante, zo niet unieke representatie van een intellectueel in de Franse samenleving. 'Hoe heeft het kunnen gebeuren', vraagt Cohen zich af, 'dat iemand die nog nooit een originele gedachte heeft voorgebracht, zich in het tijdsbestek van twee decennia heeft weten te manifesteren als de quasiofficiële opvolger van Sartre en Malraux, persoonlijkheden die hij zich bovendien in zijn geschriften heeft "toegeëigend"?'

Behalve een groot aantal essays en romans schreef Lévy biografisch getinte werken over Sartre en Baudelaire, deed verslag vanuit brandhaarden overal ter wereld, maakte documentaires, schreef toneelstukken en regisseerde een dramatisch geflopte speelfilm met in de hoofdrol zijn eigen vrouw, glamouractrice Arielle Dombasle. Hij heeft een vaste column in weekblad *Le Point*, leidt een eigen tijdschrift, bezit een filmproductiemaatschappij en heeft veel invloed bij het uitgevershuis Grasset. Toch is het niet deze veelzijdigheid waaraan BHL zijn unieke plaats in de Franse intellectuele wereld te danken heeft. Evenmin dankt hij die aan zijn flamboyante levensstijl. (Lévy omringt zich met *personal assistants*, kleedt zich in karakteristiek diep uitgesneden overhemden en beweegt zich tussen zijn appartement aan boulevard Saint-Germain, zijn buitenhuis aan de Côte d'Azur, zijn paleis in Marrakech en een vijfsterrenhotel op een willekeurige plaats ter wereld). Wat Lévy tot BHL maakt is zijn onontkoombaarheid. Biograaf Cohen turfde Lévy's televisieoptredens over de afgelopen jaren. Hij kwam uit op 414. De enige niet-politicus die vaker op televisie te zien was, bleek acteur Gérard Depardieu.

Lévy's aanwezigheid in de media stijgt doorgaans naar een hoogtepunt als er een nieuw boek van hem op het punt staat te verschijnen. Het achtuurjournaal, alle talkshows, radio, interviews en voorpublicaties in alle grote weekbladen, niets is te dol. De intellectueel BHL is in de eerste plaats een koning van de communicatie. Zo bedreven is hij in het promoten van zichzelf, dat hij kan wedijveren met Sarkozy. Ieder boek dat hij publiceert wordt een bestseller, en dat roept natuurlijk weerstand op. En zo wordt er met enige regelmaat stevig getrapt tegen het standbeeld dat Lévy voor zichzelf heeft opgericht. Alleen al in het jaar dat Cohens biografie verscheen, vonden maar liefst vijf andere boeken over BHL hun weg naar de boekhandel. Een titel als

L'absence de pensée chez Bernard-Henri Lévy (Het ontbreken van een denken bij BHL) verraadt dat het daarbij niet om hagiografieën gaat. Zijn schrijftalent en 'watervlugge en goedgevormde geest' (Olivier Mongin) staan daarbij niet ter discussie. Het is de afwezigheid van eigen gedachten die hem kwalijk wordt genomen. Andere verwijten die hem treffen zijn verdraaiing van de werkelijkheid (Lévy is de uitvinder van het genre van de 'romanquête', een samentrekking van de woorden 'roman' en 'journalistiek onderzoek'), een simplistisch wereldbeeld (Lévy duidt de wereld graag in termen van goed en kwaad) en natuurlijk ook het gegeven dat hij zichzelf altijd op de voorgrond plaatst (tot in zijn boeken, steevast geschreven in de ik-vorm). Wat drijft BHL? Simpel gezegd zou je kunnen zeggen dat hij tegen 'onrecht' is in de meest verheven én in de meest banale zin van het woord. Overal ziet hij racisme en fascisme en als een advocaat van Goede Zaken stroopt hij de wereld af om dat te bestrijden. Dat is wat BHL tegelijk honorabel én zo onuitstaanbaar maakt. Honorabel omdat hij er altijd in slaagt aandacht te vragen voor het onrecht dat hij op zijn pad treft; onuitstaanbaar omdat het uiteindelijk toch vooral om Bernard-Henri Lévy blijkt te gaan.

Volgens Padis valt de opkomst van figuren als Lévy niet los te zien van een aantal ingrijpende ontwikkelingen in de intellectuele wereld vanaf de jaren tachtig. 'In de nasleep van het totalitarismedebat gingen nogal wat prominente marxistische intellectuelen beschaamd in *exil intérieur.* Tegelijkertijd overleden alle grote Franse intellectuele smaakmakers: Aron, Sartre en Foucault, en meer recentelijk Bourdieu, Derrida en Baudrillard. Dat schiep een vacuüm waarin mediagenieke figuren als BHL vrij spel kregen. Je ziet de laatste decennia een trend waarbij academische intellectuelen zich opsluiten in de universiteit en mensen als BHL, die niet kunnen bogen op een eigen filosofisch oeuvre, op de voorgrond treden. Tegelijk vervullen journalisten steeds minder een rol als bemiddelaar tussen het grote publiek en de wereld van ideeën.' Die overtuiging is ook terug te vinden in het werk van Michel Winock: voorheen was de intellectueel meer een amateur, meent deze historicus. Publieke optredens deed hij ernaast. Wat ertoe deed was het literaire of het filosofische oeuvre. Dat oeuvre lijkt tegenwoordig meer en meer een accessoire te zijn geworden. Het zijn de publieke optredens die tellen. De intellectueel is geprofessionaliseerd en het is treffend dat iemand als Lévy in dat verband spreekt over zijn 'beroep' ('mon métier d'intellectuel'). Toch zou het te kort door de bocht zijn om Franse intellectuelen onder te verdelen in schuwe academici en flamboyante media-intellectuelen. Er zijn vele grijstinten. Het palet is zelfs zo rijkgeschakeerd dat niemand meer precies weet wat er met de term 'intellectueel' bedoeld wordt. Dat meent althans Pierre Nora: 'Er is een dreyfusiaanse intellectueel, een geëngageerde intellectueel, een kritische intellectueel, een transgressieve, een subversieve en een gespecialiseerde', schreef hij in *Le Débat*. 'Er is een *intellectuel médiatique* en een intellectueel die zich "verzet". Tegenwoordig kan men in één adem de dood van de intellectueel bewenen als de te snelle vermenigvuldiging van de soort betreuren. Men kan hem er zowel van betichten een persoonlijkheidscultus te hebben gevestigd als zichzelf tot de anonimiteit te hebben veroordeeld. Het enige wat zeker is, is dat het woord aan de vooravond van de twintigste eeuw geboren is en het daar de tekenen van draagt.'

Vanaf stamvader Voltaire is de evolutie van dit veelkoppige monster betrekkelijk eenvoudig te volgen. Zo domineerde gedurende de negentiende eeuw de figuur van de schrijver-intellectueel. Denk daarbij aan figuren als François-René de Chateaubriand, Victor Hugo, Zola en Péguy of André Gide. De laatste grote schrijver-intellectueel was François Mauriac (1885-1970). Daarna kwam de filosoof-intellectueel. Sartre is daarvan een sprekend voorbeeld; Aron veel minder, omdat hij niet over een overkoepelend filosofisch systeem beschikte van waaruit hij de wereld trachtte te duiden. Ten slotte volgde wat Foucault omschreef als de 'specialist-intellectueel': iemand die zich beroept op zijn professionele competentie of het domein waarin hij is gespecialiseerd. Volgens Padis is dat laatste type intellectueel tegenwoordig dominant. Tot zijn spijt overigens, want hij verhult niet dat de kring rond *Esprit* nog steeds sterk hecht aan de figuur van de schrijver-intellectueel. 'Dat Sartre er vaak naast zat, is nog geen reden om niet geëngageerd te zijn. Mijn ideaal is het type intellectueel dat zich manifesteerde tijdens de Dreyfus-affaire. En dan niet die socialistische intellectuelen die riepen: "een rijke *bourgeois* gaan wij niet verdedigen", maar iemand die zich beroept op een principe, rechtvaardigheid bijvoorbeeld, of waarheid.'

NEOREACS

Tijdschriften als *Esprit* en *Le Débat* publiceren regelmatig 'dossiers' met veelzeggende titels als *Splendeurs et misères de la vie intellectuelle* (Pracht en armoede van het intellectuele leven) waarin de vinger aan de pols van de Franse intelligentsia wordt gelegd. Maar daarbij blijft het niet. Er verschijnen doorwrochte boeken (*Le siècle des intellectuels* van Michel Winock is een klassieker in het genre) en ook de dag- en weekbladpers besteedt ruim aandacht aan de ontwikkelingen in het Franse intellectuele landschap. Een kwestie die de gemoederen sinds een aantal jaar bezighoudt is de vermeende 'verrechtsing' van de Franse intelligentsia. In de week dat Glucksmanns steunbetuiging aan Sarkozy op de voorpagina van *Le Monde* verscheen, maakte het weekblad *Le Canard enchaîné* – eveneens op de voorpagina – gewag van een op handen zijnde 'coming out sarkozyste' van Finkielkraut. De historicus Max Gallo zou zich al in de armen van Sarkozy hebben gestort; Bruckner zou het overwegen. Weekblad *Le Nouvel Observateur* wijdde diverse coververhalen aan de *Néoréacs* ('nieuwe reactionairen') waarin al deze namen opdoken. De verrechtsingsdiscussie werd een paar jaar geleden aanzwengeld door *Le Rappel à l'ordre* (2002) van de historicus Daniel Lindenberg. Het boek, met de wat plichtmatige ondertitel 'onderzoek naar de nieuwe reactionairen', leidde tot een maandenlange polemiek die tot op de voorpagina van *Le Monde* zou worden uitgevochten. Voor de verandering waren er nu eens niet alleen van televisie bekende intello's bij betrokken. Lindenberg, lid van het redactiecomité van *Esprit*, had een bonte lijst met namen samengesteld met daarop zeer uiteenlopende figuren als de romancier Michel Houellebecq, de filosoof Pierre Manent, de linguïst Jean-Claude Milner en de filosoof

Marcel Gauchet. Dankzij uitspraken over allerlei thema's als '1968', de mensenrechtenbeweging (*le droit-de-l'hommisme*), de massacultuur, de islam of 'gelijkheid' kwalificeerden dezen zich volgens Lindenberg als nieuwe reactionairen. De affaire is interessant in die zin dat zij het definitieve einde markeerde van het reeds eerder aangehaalde *front antitotalitaire*. Dit front was al onder druk komen te staan tijdens de grote stakingen van 1995 die volgden op voorstellen van premier Alain Juppé om de verzorgingsstaat te hervormen. Wat de intellectuelen die zich tot het *front antitotalitaire* rekenden verenigde, was behalve hun afkeer van het marxisme de gemeenschappelijke referentie naar de negentiende-eeuwse liberale denker Tocqueville en diens klassieke *De la démocratie en Amérique* (1835, 1840). Volgens de krant *Libération* was het nu alsof Tocqueville door Lindenberg spreekwoordelijk in tweeën was gespleten. 'Zijn democratische kant wordt vertegenwoordigd door de "goeden", terwijl de slechteriken het deel dat de duistere kanten van de democratie in kaart brengt voor hun rekening nemen.'

Kritiek op *Le Rappel à l'ordre* bleef niet uit. Zo kwam de ongelijksoortigheid van de als neoreactionair bestempelde personen alsook het feit dat de auteur zijn oordeel niet op hun oeuvres, maar vaak op een enkele losse uitspraak baseerde, Lindenberg op flinke verwijten te staan. '[Het boek] wordt voorgesteld als een "onderzoek" terwijl het eigenlijke onderzoek nog steeds verricht moet worden', schreef de criticus Jean Birnbaum, een vriendelijke manier om te zeggen dat Lindenberg broddelwerk geleverd had. Pikant aspect van de affaire was dat Lindenbergs boek verscheen in de serie *La République des Idées*. Historicus Pierre Rosanvallon, verantwoordelijk voor deze collectie, had een aanstelling bij hetzelfde instituut waar twee van de filosofen aan verbonden waren die het in *Le Rappel à l'ordre* moesten ontgelden. Het maakte de werksfeer er niet bepaald beter op. Een andere *Néoréac*, de filosoof Pierre-André Taguieff, liet het er niet bij zitten. In 2007 sloeg hij terug met een vuistdik boek: *Les Contre-réactionnaires*. Hierin zette hij zich af tegen wat hij de 'fabricage van de legende der neoreactionairen' noemde en sprak over 'intellectueel terrorisme' van Lindenberg. Taguieffs belangrijkste verwijt was dat het doelwit van Lindenbergs schotschrift onmogelijk te treffen viel aangezien 'het portret van de onontmoetbare verketterde niet te schilderen valt'.

Affaires, afrekeningen, schandaal, verketteringen en verraad; in de Franse intellectuele wereld zijn ze aan de orde van de dag en worden ze gevolgd met de precisie en de vileinheid van een roddelblad. Een steeds terugkerende kwestie is die van de 'toekomst' van de Franse intellectueel. In zijn beroemde *la Trahison des clercs* (Het verraad der intellectuelen, 1927) trok Julien Benda het bestaansrecht van de intellectueel al in twijfel en verweet hem de universele idealen van waarheid en rechtvaardigheid ondergeschikt te hebben gemaakt aan particularismen als de klasse, de natie of het ras. In 1984 was het de postmodernistische filosoof Jean-François Lyotard die de intellectueel ten grave droeg (in *Le tombeau de l'intellectuel et autres papiers*) en Nora stelde dat met de dood van Sartre en Foucault de intellectueel niet langer een functie als orakel had. Niemand kwam tegenwoordig immers nog op het idee een prominente intellectueel te vragen 'of hij dienst moet nemen in het vreemdelingenlegioen of zijn vriendinnetje tot een abortus moet bewegen'. Maar men kan zich afvragen of dat betekent dat de 'orakel-intellectueel' in Frankrijk niet altijd heeft bestaan en altijd zal bestaan. Sterker nog: de nauw aan Nora gelieerde denker Marcel Gauchet is een duidelijk voorbeeld van een hedendaagse 'orakel-intellectueel'. Volgens Winock is de toekomst van de intellectueel in Frankrijk dan ook niet in gevaar, al signaleert hij wel een zekere 'banalisering'. Opiniepagina's en petities worden niet langer exclusief bevolkt door grote schrijvers en filosofen, maar ook door leraren, ingenieurs, artsen en vakbondsmedewerkers – 'alsof de functie van intellectueel is gedemocratiseerd'. Hoofdredacteur Marc-Olivier Padis van *Esprit* ziet daarin de triomf van de specialist-intellectueel. Tot zijn spijt, want zoals gezegd voelt hij zich aangetrokken tot de figuur van de door Benda verdedigde intellectueel die een principe verdedigt. 'Hij moet het slechte geweten van de wereld willen zijn', zegt hij. Over het uitsterven van de soort als zodanig maakt Padis zich evenwel volstrekt geen zorgen. 'De intellectueel hoort bij Frankrijk als de Eiffeltoren, stokbrood en rode wijn.'

HOOFDSTUK 2

De Franse droom aan duigen

Frankrijk is een immigrantenland bij uitstek; minstens één op de vier Fransen heeft een grootouder van over de grens. Voor de integratie van de opeenvolgende immigratiegolven vertrouwde de Republiek jarenlang op haar universalistische model en in het bijzonder op het onderwijs. Maar met de groeiende problemen in de voorsteden rijst het besef dat de integratie à la française is mislukt. Dit lijkt echter geen reden om het republikeinse model dan maar bij het grofvuil te zetten.

Najaar 2005. De vier jongens in het portiek laten er geen twijfel over bestaan wat zij met Nicolas Sarkozy, op dat moment minister van Binnenlandse Zaken, zouden doen mocht die zich onverwacht vertonen. 'Sarko gaat eraan!', roepen ze. Allemaal dragen ze gewatteerde ski-jacks en hebben capuchons over hun hoofd getrokken. 'En jij ook als je niet oppast', lispelt er eentje terwijl hij een dreigende stap naar voren doet. Welkom in Clichy-sous-Bois. Vaalgrijze woonblokken met satellietschotels, onbestemde grasveldjes waar kinderen tussen het vuilnis spelen, een winkelcentrum zonder winkels: de troosteloosheid in deze Parijse voorstad is totaal. Even verderop ligt Les Bosquets, een wijk die de dubieuze eer heeft de gevaarlijkste van Frankrijk te zijn. Een avond eerder stuiterde hier in een overvolle moskee een traangasgranaat naar binnen. Onduidelijk is of dat een ongeluk was of dat de oproerpolitie gericht geschoten heeft. Voor de deur van de moskee staat een groepje mannen op gedempte toon te praten. Aanvankelijk hult iedereen zich in een afwachtend zwijgen, maar nadat de imam is gekomen en heeft gezegd dat er niets te verbergen is, laat iedereen zijn verontwaardiging de vrije loop. Over de traangasgranaat, maar ook over de kopstoot die een agent zou hebben uitgedeeld aan een argeloze voorbijganger. 'Waar is de getuige? Breng de getuige!' roept iemand. Theatraal gebarend maar trefzeker verklaart de 46-jarige Mohamed El Mordi even later dat hij heeft gezien hoe een gehelmde agent insloeg op een man die zijn auto verkeerd geparkeerd had en deze niet snel genoeg verwijderde. Nadat El Mordi het verhaal voor de derde keer verteld heeft en begint uit te weiden over de oorlog in Irak, beginnen de omstanders wat ongemakkelijk te schuifelen. Even later wordt hij stilletjes afgevoerd. Een paar honderd meter verderop hebben zich inmiddels tientallen jongeren verzameld. Hun gelaatstrekken zijn grimmig. 'Kom over een uur maar terug', klinkt het, 'dan is het oorlog in Clichy.'

Veel scheelt het inderdaad niet. Die avond raken in Clichy-sous-Bois honderden jongeren slaags met de oproerpolitie. Ook in andere voorsteden rond Parijs is het raak. In La Courneuve, Bobigny, Villepinte, Le Blanc-Mesnil, overal branden er auto's, met honderden tegelijk. En daarbij blijft het niet. De agressie richt zich tegen winkels, scholen, bibliotheken, brandweerkazernes en postkantoren. Een paar dagen later slaan de rellen over naar de rest van het land: Lyon, Toulouse, Rennes, Straatsburg. In de buitenwijken van nagenoeg alle grote Franse steden trekken jongeren een spoor van vernieling door de straten. De rellen van november 2005, beter bekend als 'de *banlieue*-crisis', de 'opstand in de *banlieue*' of neutraler: 'de gebeurtenissen in de *banlieue*', brengen Frankrijk in een shocktoestand. Onlusten op deze schaal hebben zich in Europa nog niet eerder voorgedaan. Zelfs televisiezender CNN weet er geen raad mee en tekent op een kaart van Europa die Frankrijk moet voorstellen vlammetjes ter hoogte van de Italiaanse stad Turijn. *Paris is burning*, heet het.

In de maanden voorafgaand aan de crisis is de spanning in de voorsteden geleidelijk opgelopen. In juni komt een elfjarig jongetje uit La Courneuve om wanneer hij wordt getroffen door een verdwaalde kogel uit het pistool van een bendelid. Sarkozy, in bezit van een zorgvuldig gecultiveerd *law-and-order*-imago, verklaart ter plaatse dat hij de buitenwijken zal gaan 'schoonmaken', met een hogedrukspuit als het moet ('nettoyer au Kärcher'), een uitspraak die velen beneden het peil van een minister achten. Eind oktober is Sarkozy op bezoek in de voorstad Argenteuil, waar hij door jongeren wordt bekogeld met flessen en stenen. Tegen een gehoofddoekte vrouw die uit een raam hangt, zegt hij bezwerend dat hij haar van het 'uitschot' (*racaille*) zal verlossen. Twee dagen later worden in Clichy-sous-Bois twee tieners geëlektrocuteerd in het transformatorhuisje waar zij zich schuilhouden voor de politie. Opstootjes breken uit, gevolgd door het incident met de traangasgranaat in de moskee. Dit blijkt de lont in het kruitvat. Terwijl de wereld toekijkt, zijn Franse voorsteden vanaf dat moment drie weken lang het toneel van een ware stadsguerrilla. Pas nadat premier Dominique de Villepin een wet uitvaardigt die burgemeesters de mogelijkheid biedt een avondklok in te stellen, luwt het geweld.

Binnen de muren van het veilig gewaande Parijs is ondertussen een tweede guerrilla op gang gekomen: een tussen intellectuelen. De inzet? De betekenis van de feiten. Zijn de rellen een min of meer gerechtvaardigde opstand van jongeren tegen een samenleving die hen buitensluit, zoals sommige sociologen menen, of is er sprake van een 'antirepublikeinse pogrom', zoals de filosoof Alain Finkielkraut stelt in een geruchtmakend interview met de Israëlische krant *Haaretz*? 'In Frankrijk bestaat de neiging om gewelddadigheden te reduceren tot hun sociale dimensie; als legitieme reactie van jongeren tegen hun uitzichtloze bestaan', stelt het *enfant terrible* van de Franse intelligentsia daarin op het hoogtepunt van de rellen. Natuurlijk zijn jongeren in de buitenwijken het slachtoffer van discriminatie, zo redeneert hij. 'Maar stel je voor dat je een restauranthouder bent en er komt een sollicitant langs uit de *banlieue* die een baan als ober zoekt. Hij spreekt *verlan*, de taal van de *banlieue*. Je geeft hem die baan niet. Zijn taak is representatief te zijn, maar zijn manier van spreken en zijn manieren maken dat onmogelijk. En ik zeg u dat blanke jongens die de cultuur van de *banlieue* imiteren – en die zijn er – precies dezelfde obstakels tegenkomen.' Wat hij degenen verwijt die sociaaleconomische oorzaken als discriminatie en werkeloosheid ter verklaring van het geweld aanvoeren, is dat zij onvoldoende stilstaan bij de origine en de religie van de relschoppers. 'Zij zijn van Afrikaanse of Arabische origine en hebben een moslimidentiteit. Er zijn meer immigranten in Frankrijk die het moeilijk hebben – Chinezen, Vietnamezen en Portugezen, maar zij nemen geen deel aan de rellen. Het is dus evident dat we van doen hebben met een opstand met een etnisch-religieus karakter.'

Daags voordat Finkielkraut zo het marxistisch superego van weldenkend links tart, vraagt Hélène Carrère d'Encausse, 'sécretaire perpétuel' van de Académie française, zich tijdens een radio-interview af waarom er in de buitenwijken 's avonds laat toch zoveel jonge zwarte kinderen op straat rondlopen. 'Veel van deze Afrikanen zijn polygaam. In een appartement bevinden zich niet zelden drie à vier vrouwen met 25 kinderen. Die appartementen puilen dusdanig uit, dat die kinderen vanzelf op straat belanden.' Vertrouwde verklaringsmodellen voldoen volgens haar niet langer. De oorzaak is *cultureel*; het probleem ligt bij de jongeren zelf, of bij de ouders, niet bij de sociaaleconomische omgeving. De filosoof Robert Redeker gaat nog een stapje verder en wijst beschuldigend naar het 'nihilisme' van de moderne sociologie en de welzijnswerkers die zich daarop beroepen. 'Wanneer je "de" cultuur voorstelt als een instrument van de dominante elite, als je stelt dat een toneelstuk van Shakespeare op gelijke hoogte staat met een popliedje; als een gedicht van Racine van dezelfde waarde is als een bord couscous, wie verbaast zich er dan nog over dat er bibliotheken in vlammen opgaan? (...) De gelijkschakeling van alle culturen, het tot fetisj maken van de Ander, heeft een onbedoeld bijeffect gehad: het onvermogen van immigranten om zich de Franse nationale en republikeinse cultuur eigen te maken. Als de rellen zich kenmerken door nihilisme, dan moet dat worden verklaard vanuit een door de moderne sociologie geïnspireerde culturele politiek.'

Het effect van deze *shock-and-awe*-strategie blijft niet uit. 'Angst en paniek hebben zich meester gemaakt van de nobele sociologenzielen', stelt de criticus Jean Birnbaum vijf maanden later vast wanneer hij in *Le Monde* de balans van de intellectuelenstrijd opmaakt. Het beste bewijs daarvan is volgens hem nog dat de belaagde sociologen het kennelijk niet hebben aangedurfd om zelf naar de buitenwijken af te reizen om de bewuste jongeren aan het woord te laten. Het algehele resultaat vindt Birnbaum hoogst onbevredigend: harde cijfers ontbreken, analyses missen onderbouwing. Het heeft er alle schijn van dat de door de intellectuelen en wetenschappers aangedragen analyses meer zeggen over henzelf dan over de gebeurtenis die zij trachten te duiden. Hoewel de intellectuelenstrijd over de *banlieue*-crisis op dat moment nog verre van beslecht is, tekent zich desondanks een verontrustende consensus af: de Franse integratiemachine is piepend tot stilstand gekomen. Een jaar na de rellen spreekt de socioloog Jacques Donzelot over de 'historische brand die niet alleen de *banlieue*, maar heel republikeins Frankrijk in lichterlaaie heeft gezet.' De vraag dringt zich op in hoeverre de Franse samenleving nog in staat is om immigranten en hun kinderen een plaats in haar midden te geven.

DE SCHOOL VAN JULES FERRY: INTEGRATIE OF INDOCTRINATIE?

Daarmee lijkt de *banlieue*-crisis verworden tot een integratiecrisis die het wezen van de Republiek zelf aantast. 'We weten in Frankrijk niet meer welke weg we immigranten moeten wijzen', stelt Hakim El Karoui, voormalig speechschrijver van premier Jean-Pierre Raffarin in *Répliques*, het wekelijkse radioprogramma van Finkielkraut. 'We weten niet langer of we ze willen, en als we ze toelaten weten we niet wat we met ze aanmoeten.' Dat is een zorgwekkende constatering, zeker in een land dat er sinds het einde van de negentiende eeuw betrekkelijk probleemloos in geslaagd is enorme aantallen immigranten op te nemen. Ze kwamen uit Italië, Polen, Armenië, Rusland, China, Portugal of uit de voormalige koloniën in Noord- en West-Afrika. Sinds 2007 eert Frankrijk hen in het immigratiemuseum nabij de Porte Dorée in Parijs: van de latere Nobelprijswinnaar Marie Curie, die als klein Pools meisje naar Frankrijk kwam, tot de Algerijnse gastarbeiders die hielpen om *Les Trente Glorieuses*, het Franse *Wirtschaftswunder*, te verwezenlijken. Eenmaal in Frankrijk werden zij geacht hun eigen cultuur achter zich te laten; ze dienden te *assimileren*. Gemakkelijk werd het hen daarbij lang niet altijd gemaakt. Zo kregen Italiaanse immigranten na de moord op president Sadi Carnot door de anarchist Jeronimo Caserio in 1894 te maken met lynchpartijen en plundering. Xenofobie, later gepersonifieerd in de persoon van de nationalistische politicus Jean-Marie Le Pen, bleef een hardnekkig verschijnsel, net als discriminatie of weinig vleiende stereotyperingen. Toch oefende Frankrijk tegelijk ook een enorme aantrekkingskracht op immigranten uit. Ze vonden er werk of politiek asiel, zoals de Vietnamese bootvluchtelingen of de tegenstanders van de Chileense dictator Pinochet. Frankrijk bleef tenslotte het land van de Mensenrechten; de regels en de waarden van de Republiek boden houvast en richting.

Immigranten hoopten op een betere toekomst, voor henzelf of anders voor hun kinderen. Ze probeerden niet al te zeer uit de toon te vallen en Fransman of Française te worden. Hoe ging dat in zijn werk? Hoe werden zij van immigranten tot Fransen? Jarenlang deden zij dat volgens het beproefde integratiemodel zoals dat gestalte kreeg dankzij de inspanningen van de leiders van de Derde Republiek (1870-1940) en in het bijzonder Jules Ferry. In Frankrijk zijn nog steeds honderden, zo niet duizenden scholen naar deze staatsman vernoemd, en dat is niet voor niets. Hij was het die in 1881 en 1882 met een serie wetten de basis legde voor het huidige Franse onderwijssysteem. Geïnspireerd door de idealen van de Verlichting en het jacobinisme van de Revolutie koesterden Ferry en zijn mederepublikeinen de overtuiging dat het de taak van de staat was om plichtsgetrouwe burgers te kweken; zelfbewuste individuen die in staat zouden zijn hun eigen keuzes te maken en zich niet lieten leiden door de vooroordelen van de katholieke kerk. Hij maakte het basisonderwijs gratis, verplicht en bovenal seculier. Voor kerkelijk dogma was geen plaats, of, zoals hij in een toelichting bij zijn onderwijshervormingen in een circulaire (de nog steeds vaak geciteerde *Lettre aux instituteurs* uit 1883) aan de onderwijzers schreef: 'het religieuze onderricht valt toe aan de Kerk en de familie, het morele onderricht aan de school.' Over de vraag hoe dat 'morele onderricht' er in de praktijk precies moest uitzien, bleef Ferry betrekkelijk vaag, maar, zo besloot hij zijn epistel: 'Zodra ouders merken dat uw inspanningen effect sorteren, dat hun kinderen zich beter gaan gedragen, zij zachtaardigere en respectvollere manieren ontwikkelen, zij zich gehoorzaam en standvastig tonen, zij zich werklustiger en gedisciplineerder opstellen, kortom: wanneer zij alle tekenen van morele verheffing vertonen, dán is de zaak van de republikeinse school gewonnen.'

Bij die missie bleef het niet. De 'school van Jules Ferry' had nog een andere taak, die eigenlijk alleen valt te begrijpen in de politieke context van negentiende-eeuws Frankrijk. Die werd sinds het uitbreken van de Franse Revolutie gekenmerkt door een structureel gebrek aan institutionele consensus. De revolutionairen hadden weliswaar het *Ancien régime* vernietigd, maar waren niet in staat gebleken daar iets duurzaams voor in de plaats te stellen. Op de absolute monarchie (tot 1789) volgden binnen vijftien jaar tijd een constitutionele monarchie, een republiek en een keizerrijk, en met enige vertraging doorliep Frankrijk in de negentiende eeuw opnieuw de hele cyclus: absolute monarchie (Louis XVIII in 1814), constitutionele monarchie (Louis-Philippe in 1830), republiek (1848) en ten slotte weer een keizerrijk (Napoleon III in 1852). Wie kon garanderen dat de Derde Republiek niet hetzelfde kortstondige leven als haar voorgangers was beschoren? Haar meerderheid was krap; royalisten, radicalen en bonapartisten liepen zich langs de zijlijn warm om het nieuwe regime omver te werpen. De school kon hier volgens Ferry uitkomst bieden. Om de nieuwe generatie Fransen voor de jonge Republiek te winnen, zette hij in op een weergaloos indoctrinatieprogramma. Neem alleen al *Le Petit Lavisse* (1876), het boekje van de historicus Ernest Lavisse, waar generaties schoolkinderen de Franse geschiedenis uit onderwezen zouden krijgen. Het stelde de Franse geschiedenis voor als een verhaal dat als vanzelfsprekend uitmondde in de Franse Revolutie: 'Pas sinds de Revolutie is Frankrijk waarlijk één land. (...) Zij plantte in de zielen der Fransen de liefde voor rechtvaardigheid, voor gelijkheid en voor vrijheid. In drie jaar tijd deed de Republiek meer voor Frankrijk dan alle koningen tezamen. Onze voorvaderen geloofden dat Frankrijk alle volkeren zou bevrijden van het kwaad dat hen teisterde. Zij schiepen er trots in één groot volk te zijn, dat andere volkeren de weg moet wijzen.' Niet voor niets had *Le Petit Lavisse* de bijnaam 'het Evangelie van de Republiek'.

Maar Ferry koesterde veel verdergaande ambities. Behalve als emancipator van het individu en fabriek van republikeinse burgerzin deed 'de school van Jules Ferry' tevens dienst als smederij van nationaal gevoel. Frankrijk was op dat moment immers nog allesbehalve een natie. Men was loyaal aan de streek waarin men woonde. Uiteenlopende dialecten (*patois*), gebruiken en gewoontes maakten Frankrijk tot een lappendeken van regio's die van elkaar verschilden als IJsland en Griekenland. 'Tot welk Afrikaans land behoort deze groep hutten in de schaduw van de republikeinse vlag?', vroeg de schrijver Jean Ricard zich in 1867 af toen hij tijdens een rondreis door Zuid-Frankrijk op een verzameling hutjes van druivenplukkers stuitte. Een paar jaar eerder had de communistische politicus Auguste Blanqui de bewoners van de Alpen nog met de inboorlingen van de Markiezeneilanden vergeleken, en in de Pyreneeën namen schaapherders geregeld de wapens op tegen de vertegenwoordigers van de staat, die zij als 'vreemdelingen' en als 'indringers' beschouwden. De grootste uitdaging van de school van Jules Ferry was dan ook dat zij nieuwe generaties duidelijk moest maken dat er abstracties als de 'Republiek' en de 'natie' bestonden die groter waren dan de eigen streek. Zoals de Amerikaanse historicus Eugen Weber in zijn baanbrekende boek *Peasants into Frenchmen* (1976) heeft laten zien, zou Ferry de school op die manier tot een gigantische emancipatiemachine omsmeden. Niet alleen de bewoners van Franse platteland, ook de kinderen van de immigranten die Frankrijk vanaf het einde van de negentiende eeuw binnenstroomden, zou zijn school tot 'Fransen' maken. Uitgangspunt bleef het republikeinse universalisme, de idee dat mensen, ongeacht hun herkomst, religie of cultuur, met behulp van een gedegen onderwijsprogramma tot vaderlandslievende en plichtsgetrouwe burgers kunnen worden gekneed. Zo bezien bestond er dus geen essentieel verschil tussen de kinderen van een negentiende-eeuws boertje uit het Centraal Massief en de kinderen van een schaapherder uit de Algerijnse landstreek Kabylië die de Middellandse Zee was overgestoken om in Frankrijk zijn geluk te beproeven: in zekere zin waren zij beiden immigranten.

LOSGESLAGEN OCCIDENTALISME

Zoals gezegd delen Franse opiniemakers, wetenschappers en beleidsmakers de constatering dat de integratie van immigranten met name in de *banlieue* stagneert of zelfs helemaal mislukt is. Over de vraag hoe dat heeft kunnen gebeuren of hoe men de integratiemachine weer aan de praat kan krijgen, lopen de meningen daarentegen sterk uiteen. Dat het onderwijs in deze discussie een prominente rol speelt, zal na het voorafgaande niet verbazen. Zo meent iemand als Finkielkraut dat de 'school van Jules Ferry' vanaf de jaren zeventig is ondermijnd door een leger van pedagogen, dat geïnspireerd op het denken van '1968' niet langer kennis, maar de leerling zelf centraal stelt. 'Ik ken die school', zegt hij over de 'school van Jules Ferry'. 'Ik heb er zelf les gehad. Er werden hoge eisen gesteld. Het was een sombere en onaangename plek, die hoge muren had opgetrokken om zich van de buitenwereld af te schermen. Dertig jaar van onderwijshervormingen hebben de republikeinse school getransformeerd tot een "educatieve gemeenschap" zonder hiërarchie. Het onderwijsprogramma werd versimpeld, het geraas van buiten toegelaten; de samenleving is de school binnengetreden. Waar we nu getuige van zijn, is niet zozeer het failliet van het Franse integratiemodel, maar van het postrepublikeinse gezelligheidsmodel.' Ergo: herstel de oude republikeinse school in ere en de integratiemachine komt vanzelf weer op gang. Zo'n restauratie behoort in ieder geval tot de ambities van Sarkozy. Tijdens een geruchtmakende aanval tegen 'de erfenis van '68', beschuldigde hij de *soixante-huitards* ervan 'de school van Jules Ferry' om zeep te hebben geholpen. De reeks van onderwijshervormingen die de president sinds zijn verkiezing doorvoerde, zijn te lezen als een poging om de 'republikeinse school' te restaureren. Zo is het de bedoeling dat er een einde komt aan studiehuisachtige praktijken: leerlingen moeten weer rijtjes stampen. Ook zijn zij sinds een paar jaar verplicht op te staan zodra de leraar het klaslokaal betreedt. Kritiek bleef niet uit. Zo wijzen sceptici wijzen erop dat de samenleving de afgelopen veertig jaar ingrijpend is veranderd. Zij smalen dat pogingen om terug te keren naar het tijdperk van voor 1968 doen denken aan de contrarevolutionairen, die tijdens de Restauratie (1814-1830) tevergeefs probeerden het *Ancien régime* nieuw leven in te blazen.

Fundamenteler is de kritiek van hen die stellen dat mensen als Finkielkraut en Sarkozy een veel te rooskleurig beeld hebben van de invloed van 'de school van Jules Ferry'. Zo had bovengenoemde Eugen Weber er weliswaar op gewezen dat de republikeinse school een sleutelrol gespeeld had bij de integratie van het Franse plattelandsbevolking in de periode 1870-1914, maar tegelijk stelde hij dat de school haar beschavingsoffensief nooit had kunnen volbrengen zonder de opvoedkundige hulp van de familie en een hecht netwerk van kerken en verenigingen. Scholing is belangrijk, maar is niet de enige factor in een succesvolle opvoeding, zo stelt de filosofe Chantal Delsol dan ook in haar bijlage aan de bundel *La République, brûle-t-elle?* (Staat de Republiek in brand?, 2006). Zij wijst erop dat de opvoedkundige mogelijkheden van een school per definitie beperkt zijn, omdat het uiteindelijk toch aankomt op de ouders en het netwerk van religieuze en maatschappelijke organisaties, en dat het juist daaraan in de armere voorsteden rond Parijs ontbreekt. Moskeeën spelen hier geen rol van betekenis, en het opvoedkundig instrumentarium van de ouders beperkt zich volgens Delsol tot een pak rammel. En dat terwijl die ouders ondertussen wél in een samenleving leven waarin reclamespotjes kinderen aanmoedigen een telefonische hulpdienst te bellen als zij door hun ouders geslagen worden. Bovendien kan de school zijn integrerende functie slechts vervullen als kinderen ook daadwerkelijk naar school gaan, en de hoge schooluitval wijst uit dat dat allerminst het geval is. Het echte gevaar, zo stelt Delsol dan ook, is dat immigrantenkinderen vermalen worden tussen de traditionele wereld van hun ouders en het individualisme van de moderne Franse samenleving.

Volgens Finkielkraut zijn de niet minder verontrustende gevolgen daarvan met enige regelmaat waar te nemen in het *Stade de France* als daar voorafgaand aan voetbalwedstrijden tussen Frankrijk en Algerije de *Marseillaise* uitgefloten wordt. Niet door Algerijnse supporters, maar door Franse supporters van Algerijnse afkomst. Of, schokkender nog: rappers als 'Monsieur R' die zingen over de Republiek die ze willen 'verkrachten tot ze erbij neervalt'. Het toppunt was volgens Finkielkraut het in brand steken van scholen en bibliotheken tijdens de voorstedelijke rellen van 2005. Ziedend is hij over dit gebrek aan respect jegens de symbolen van het republikeinse ideaal, waar hijzelf – zoon van een arme Poolse immigrant en nu docent aan de prestigieuze *Ecole polytechnique* – alles aan te danken heeft gehad. Hier is sprake van wat hij een 'refus d'intégration' noemt, een weigering tot integratie. Als het zo is dat kinderen van immigranten zich in hun afkeer van Frankrijk beroepen op de islam of een antikoloniaal discours, dan maskeert dat volgens Finkielkraut de diepere oorzaak van hun frustratie. Die komt voort uit wat hij 'losgeslagen occidentalisme' noemt. Wat de immigrantenkinderen tijdens de rellen van 2005 in laatste aanleg had gedreven, was sociale uitsluiting noch haat tegen het westen. De leuze 'geld of ik sla alles aan gort' was geen verzet tegen de moderne samenleving, maar juist een steunbetuiging aan het slechtste wat deze te bieden heeft: 'Wat de jongeren in de *banlieue* drijft, is de keuze voor een hyperconsumentalisme en een afkeer tegen de belofte van individuele emancipatie, te verwezenlijken via de bemiddeling van degene die men ooit "de schoolmeester" noemde.'

MARSEILLE ALS VOORBEELD

Daarmee is het debat over de oorzaken van de stagnerende integratie in zekere zin een afspiegeling van de eerder geschetste 'intellectuelenguerrilla' over de oorzaken van de voorstedelijke rellen van 2005. Waar in aanleg conservatieve intellectuelen als Delsol en Finkielkraut wijzen op culturele factoren, leggen meer progressieve sociologen de nadruk op sociaaleconomische factoren. Zij wijzen op de armetierige woonomstandigheden, de verpeste verhoudingen tussen jongeren en politie, discriminatie en natuurlijk de hoge werkeloosheid. En terecht, want men mag niet vergeten dat het begin van de problemen in de Parijse voorsteden samenviel met de stagnatie van de Franse economie en de daaruit voortvloeiende massawerkeloosheid tijdens het midden van de jaren zeventig. Sindsdien is de werkeloosheid in Frankrijk eigenlijk nooit meer onder de 9 procent geweest. Dat is een verontrustend getal, maar in de door immigranten bevolkte voorsteden bedraagt de werkeloosheid 20 procent en onder jongeren soms zelfs 50 procent. In verband met de integratie van de Franse plattelandsbevolking eind negentiende eeuw had Weber gewezen op de sleutelrol van de republikeinse school. Maar hij onderstreepte dat het uiteindelijke succes daarvan stond of viel met de mogelijkheid de op school verworven kennis te gelde te maken. Voor de plattelandsbevolking was dat destijds geen probleem geweest: de industrialisatie en de uitbreiding van het staatsapparaat boden een serieuze mogelijkheid tot sociale en economische vooruitgang – een perspectief dat in de eenentwintigste-eeuwse voorsteden rond Parijs echter vrijwel ontbreekt. Iedere scholier daar heeft wel een oudere broer of zus die de middelbare school doorlopen heeft, een vervolgopleiding heeft gedaan en alsnog geen baan kan vinden. In *Le Ghetto Urbain* (2008) schetst de socioloog Didier Lapeyronnie op basis van honderden gesprekken wat zoiets met mensen doet. ‘Zij voelen zich door de Republiek buitengesloten en scheppen hun eigen universum dat hen beschermt, maar dat tegelijk ook een belemmering is als het erop aankomt de samenleving tegemoet te treden. Daarom is de *banlieue* tegelijk een gevangenis en een cocon.’ Omdat een schooldiploma geen zicht geeft op werk of een reële lotsverbetering hebben zij volgens Lapeyronnie het idee dat school juist een obstakel tot integratie is dat ze ervaren als een permanente vernedering.

Volgens het republikeinse gelijkheidsideaal kan iedereen, ongeacht zijn herkomst of politieke en religieuze overtuiging, zijn plaats in de Franse samenleving bemachtigen. Tegelijk vertonen de drie belangrijkste onderdelen van de integratiemachine, te weten de school, de familie en de arbeidsmarkt, ernstige defecten. Kan het republikeinse ideaal dat die machine aanjaagt dan nog wel gehandhaafd blijven? Of moet de conclusie luiden, zoals *Le Figaro*-columnist Ivan Rioufol meent, dat de herkomst en religieuze overtuiging in bepaalde gevallen (bij moslims uit achtergebleven gebieden in Noord- en West-Afrika bijvoorbeeld) juist onverenigbaar is met het gelijkheidsideaal? Wanneer men de herkomst van de immigrantenstroom van de afgelopen dertig jaar afzet tegen de problemen die gedurende diezelfde periode in de voorsteden rezen, ligt die stelling voor de hand. Met de analyse van Weber in gedachten, kun je je tegelijk afvragen in welk opzicht de spreekwoordelijke schaapherder uit Kabylië 'achterlijker' (en dus moeilijker te integreren) zou zijn dan het negentiende-eeuwse boertje uit het Centraal Massief.

Daarom put de islamkenner Bruno Etienne hoop uit het voorbeeld van Marseille. Hier wemelt het immers van de Noord- en West-Afrikaanse immigranten, maar anders dan de voorsteden rond Parijs was het hier tijdens de hete novembermaand van 2005 opmerkelijk rustig gebleven. Ook verder lijkt de integratie er betrekkelijk goed geslaagd. Niet dat Marseille geen probleemwijken kent; denk alleen al aan La Castellane, de beruchte buurt waar de voetballer Zinedine Zidane opgroeide. Maar het verschil met de voorsteden van Parijs, zo betoogt Etienne, is dat deze wijken nog steeds een integraal onderdeel zijn van de stad. Het zijn geen getto's zonder voorzieningen op anderhalf uur reizen van Parijs. Hij wijst erop dat de Noord-Afrikaanse immigranten La Castellane inmiddels hebben verlaten om plaats te maken voor Comorianen en West-Afrikanen, voor hem het bewijs dat sociale mobiliteit in Marseille nog steeds mogelijk is. Voetbalclub Olympique de Marseille, buurtmoskeeën, welzijnsorganisaties en lokale radiozenders zorgen ervoor dat de sociale cohesie behouden blijft. Hatelijke kreten jegens 'Frankrijk' of 'de Republiek', zoals die in de Parijse voorsteden nogal eens klinken, vallen onder jongeren van buitenlandse afkomst in Marseille nauwelijks te beluisteren. 'Er worden weliswaar nog steeds auto's gestolen, maar ze worden tenminste niet verbrand!' stelt Etienne, die in 2009 stierf, hoopvol vast.

Ook voor de politiek filosoof Pierre Manent staat het republikeinse ideaal als zodanig nog steeds overeind. Het probleem is volgens hem dat veel mensen in Frankrijk het ideaal voor de werkelijkheid houden. 'Al twintig jaar heeft iedereen het over de Republikeinse waarden, maar met welk resultaat?', vraagt hij zich een paar maanden na de *banlieue*-crisis af. Volgens Manent gaat men er in de huidige discussie te makkelijk voorbij aan de hoge jeugdwerkeloosheid in de Parijse voorsteden (tot wel 50 procent). 'Die werkeloosheid heeft alles te maken met het feit dat jongeren nergens zo laat verantwoordelijkheden krijgen als in Frankrijk. Als dat al opgaat voor *bourgeois*-kinderen in de stadscentra, dan geldt dat helemaal voor immigrantenkinderen in de *banlieue*. Laten we dus wat minder over republikeinse waarden spreken en eens wat vaker over werk.' Te vaak, zo stellen sceptici als Manent, doet men alsof het koesteren van een universalistisch gelijkheidsideaal op een miraculeuze manier zal leiden tot de verwezenlijking ervan. Alsof het uitspreken van de wens dat alle mensen gelijk zijn en gelijke kansen moeten krijgen, zou samenvallen met het uitkomen van die wens en er dus niet zoiets als discriminatie of culturele barrières zouden kunnen bestaan. Zo lijkt het systeem van *concoursen*, de examens die toegang geven tot de prestigieuze *Grandes Ecoles*, aan iedereen gelijke kansen te bieden omdat ze anoniem zijn en iedereen eraan mee kan doen. Kijk naar voormalig minister van Justitie Rachida Dati, zeggen voorstanders van dat model. Opgegroeid in een gezin van twaalf kinderen in een arme wijk van Chalon-sur-Saône, wist zij zich immers via het Franse hoger onderwijssysteem een weg uit de armoede te vechten. Voor critici is zij juist 'l'Arabe qui cache la forêt' (de Arabier die de rest van het bos verbergt) en zij wijzen erop dat kinderen van rijke en gestudeerde ouders het binnen dit systeem onnoemelijk veel makkelijker hebben dan een kind van immigranten uit de *banlieue*. Blind vertrouwen op de werking van het systeem doet in Frankrijk natuurlijk vrijwel niemand. De kritiek van Manent daargelaten beseft iedereen dat er altijd een kloof zal zijn tussen het na te streven ideaal (gelijke kansen voor iedereen, geen discriminatie op basis van ras, kleur, geloof enzovoort) en de werkelijkheid zoals die is. Het werkelijke probleem lijkt te zijn dat deze kloof de afgelopen decennia dermate is gegroeid, dat hij vrijwel onoverbrugbaar is geworden. Het republikeinse model dreigt zo zijn geloofwaardigheid en daarmee zijn bestaansrecht te verliezen, als het dat voor sommigen al niet heeft gedaan. 'De vraag is gerechtigd in hoeverre het niet de oorzaak zelf is van de specifieke moeiljkheden die de Franse samenleving heeft met de kwestie van immigratie', stelt Marcel Gauchet, hoofdredacteur van *Le Débat*. 'Het is zoals het beroemde sprookje van Andersen', betoogt Yann Moulier-Boutang, hoofdredacteur van het neomarxistische tijdschrift *Multitudes* en auteur van een pamflet met de veelzeggende titel *La révolte des banlieues ou les habits nus de la République* (De opstand in de voorsteden ofwel de Republiek zonder kleren, 2005). 'De koning staat naakt, maar iedereen blijft maar roepen hoe prachtig zijn gewaad is.'

LIEVER IMPASSE DAN MULTICULTURELE NACHTMERRIE

Wat te doen? Moulier-Boutang maakt er geen geheim van dat hij de Republiek – in de beste Franse traditie – graag een kopje kleiner wil maken, maar opvallend genoeg staat hij in dat verlangen nagenoeg alleen. Dit tekent het debat over de manier waarop de integratiemachine weer op gang kan worden gebracht. Keken sommige Franse intellectuelen een aantal jaar geleden nog belangstellend, zo niet bewonderend naar het ogenschijnlijke succes van de multicultureel geïnspireerde modellen in Nederland en Engeland, na respectievelijk de moord op Theo van Gogh (2 november 2004) en de aanslagen op de Londense metro (7 juli 2005) luidt de mildste conclusie dat daarvan weinig heil te verwachten valt en de scherpste dat een dergelijk model zal resulteren in wat de journalist Sylvain Attal een 'tribale nachtmerrie' noemde: een non-samenleving, waarin 'multiculturalisme' in werkelijkheid een 'veelvormig monoculturalisme' is. Het republikeinse model, zo luidt dan tegenwoordig ook de breed gedeelde overtuiging, heeft ons misschien niet gebracht wat we ervan hoopten, maar het is nu eenmaal wat we hebben en we zullen het ermee moeten doen. Daarmee is de nieuwe vraag of het mogelijk is de immigranten en hun kinderen te helpen bij het vinden van hun plaats in de Franse samenleving, maar *zonder* daarbij afbreuk te doen aan de 'ondeelbaarheid' van de Republiek en haar gelijkheidsideaal. Anders gezegd: is het mogelijk etnische minderheden te steunen, maar zonder hen te benoemen als afzonderlijke groep (zoals in Nederland 'de Marokkanen')?

Al tijdens de presidentschappen van Mitterrand en Chirac werden pogingen in die richting genomen met de aanwijzing van de zogeheten *zones urbaines sensibles* (ZUS), 'probleemwijken', waarbij niet werd gekeken naar de etnische afkomst van de bewoners, maar naar zaken als inkomen, werkeloosheid en opleidingsniveau. Dergelijke wijken (zo'n zevenhonderd zijn het er inmiddels) kunnen rekenen op bijscholingsprojecten voor volwassenen, speciaal opgeleide welzijnswerkers, premies voor bedrijven die zich er willen vestigen enzovoort. Al eerder werden zogeheten *zones d'éducation prioritaire* (ZEP) in het leven geroepen: gebieden waar scholen kunnen rekenen op extra subsidiegelden en waar leraren speciale aandacht besteden aan wat je 'inburgering' zou kunnen noemen: taalonderwijs en communicatieve vaardigheden. Door bij de aanwijzing van de ZUS'en en de ZEP's slechts te kijken naar sociaaleconomische indicatoren en niet naar de herkomst of het geloof van de bewoners, bleef de staat dus netjes binnen het republikeinse kader, maar hielp hij *de facto* immigranten, aangezien de zevenhonderd probleemwijken in meerderheid door etnische minderheden worden bevolkt. De realiteit blijkt wederom weerbarstiger. In oktober 2006 brengt het Franse bureau voor de statistiek een vernietigende evaluatie uit over de ZEP's. Het concludeert dat deze in de gemeten periode (1982-1992) op geen enkele aantoonbare manier hebben bijgedragen aan het vergroten van gelijke kansen op de arbeidsmarkt voor jongeren uit probleembuurten. Of dit nu komt omdat het beleid eenvoudigweg slecht is uitgevoerd, zoals de econoom Eric Maurin, auteur van *Le Ghetto français* (2004), meent, óf dat daar wellicht ook zaken als discriminatie of de cultuur van de immigranten debet aan zijn, kan niets zinnigs worden gezegd. Immigranten in het bezit van de Franse nationaliteit bestaan immers niet als zodanig in de statistieken. Daaruit komt een punt naar voren dat het Franse integratiedebat nogal vertroebelt: in zijn principiële gelijkheidsijver heeft de Franse wetgever het wetenschappers verboden statistieken te verzamelen waaruit ras, etnische afkomst, politieke, filosofische dan wel religieuze overtuigingen van personen zou kunnen blijken. De Franse staat maakt slechts onderscheid tussen 'Fransen' en 'buitenlanders' en eist van statistici dat zij hetzelfde doen.

In het al eerder genoemde radioprogramma *Répliques* vroeg Alain Finkielkraut aan de demografe Michèle Tribalat of zij, net als hijzelf, dacht dat er immigranten waren die niet langer bereid waren hun best te doen om in de Franse samenleving te integreren. Tribalat antwoordde: 'Op die vraag kan ik geen antwoord geven, daar heb ik concrete aanwijzingen voor nodig. Als er in Frankrijk sprake is van een uitzonderingssituatie op het gebied van integratie, dan is die dat we niet over instrumenten beschikken om de mate van integratie te meten.' Al jaren klagen onderzoekers steen en been over dit *Berufsverbot*. De socioloog Jean-François Amadieu liet het er niet bij zitten en omzeilde de wet met een kwalitatief onderzoek op basis van twee cv's: de cv's waren identiek, behalve dat op het één een Franse achternaam prijkte en op het tweede een Arabische. Het resultaat bleek niet anders dan in Nederland: een Fransman van Arabische origine had tot vijf keer minder kans uit te worden uitgenodigd op een sollicitatiegesprek dan een 'blanke' Fransman (*Français de souche*). Het verschil tussen het Franse en het Nederlandse onderzoek ligt in het gegeven dat het Franse onderzoekers – anders dan hun Nederlandse collega's – verboden is om dit probleem in kaart te brengen. Hoe kan discriminatie immers bestaan als alle mensen gelijk zijn? Was de Republiek ziende blind of een blinde die dacht dat hij kon zien?

Toch lijkt de *banlieue*-crisis van 2005 op dit punt de geesten wel enigszins te hebben gerijpt. Tot dusver had president Jacques Chirac iedere aanpassing van de wet weten te blokkeren met een beroep op de 'republikeinse waarden' – overigens zonder dat dit hem er begin jaren negentig van had weerhouden te spreken over 'het lawaai en de stank' waarmee immigranten hun 'Franse buren tot waanzin dreven'. Maar op 19 oktober 2006 organiseert het Franse Centraal Planbureau een symposium met als titel *Statistiques Ethniques* – een titel die *Le Monde* dermate provocatief acht dat de krant er op de voorpagina uitvoerig aandacht aan besteedt. Een enkele spreker uit zijn reserve, maar de algehele teneur is toch dat de gewraakte wet – ironisch genoeg bedoeld om stigmatisering van minderheden te voorkomen – effectieve bestrijding van discriminatie juist in de weg staat. 'Discriminatie neemt in Frankrijk zulke groteske vormen aan dat het verzamelen van statistieken op een etnische basis de huidige situatie eigenlijk niet kan verergeren', moet Patrick Lozès, voorzitter van de koepelvereniging van zwarte organisaties (CRAN) toegeven. Een poging van het Franse parlement om statistisch onderzoek op basis van etniciteit mogelijk te maken, wordt in 2007 desalniettemin in de kiem gesmoord door het *Conseil constitutionnel*. Sterker nog: het hoogste Franse rechtscollege bekrachtigt de republikeinse principes nog eens opnieuw door de parlementariërs terug te verwijzen naar het eerste artikel van de grondwet, dat stelt dat Frankrijk 'een ondeelbare, seculiere, democratische en sociale Republiek' is en bij wet de gelijkheid van eenieder garandeert, 'ongeacht zijn afkomst, ras of religie.'

Ook Sarkozy is er tot dusver niet in geslaagd het verzet te breken. Wilde hij als minister nog wel eens stevig vloeken in de republikeinse tempel met pleidooien voor positieve discriminatie of voor de registratie van de etnische afkomst van criminelen in de politiestatistieken, als president beseft hij maar al te goed dat hij zich op gevaarlijk terrein begeeft wanneer hij al te krachtdadig schopt tegen de heilige huisjes van de Republiek. 'Ik zou willen dat iemand mij uitlegt waarom positieve discriminatie bij vrouwen en gehandicapten de normaalste zaak van de wereld is en waarom dat bij gekleurde landgenoten iets abnormaals zou zijn', zegt hij op 20 oktober 2006 in een interview met dagblad *Le Parisien*. Ruim een jaar later, tijdens de aanvaarding van de presidentskandidatuur van zijn partij UMP, stelt hij: 'Ik verwerp het multiculturalisme dat een mens tot zijn huidskleur tracht te reduceren.' De verdenking een multiculturalist (*communautariste*) te zijn, heeft Sarkozy overigens nooit helemaal kunnen wegnemen. Als hij in 2008 zijn wens uitspreekt om de notie van 'diversiteit' op te laten nemen in de grondwet zijn de rapen onmiddellijk gaar. Julien Langfried, voorzitter van de *Observatoire du communautarisme*, een luidruchtig blaffende, republikeins gezinde waakhond, spreekt over het gevaar voor 'balkanisering' en Christian Makarian van het weekblad *l'Express* verwijt de president een 'pseudomoderniteit' na te jagen en eist dat hij zich 'onverkort voor de republikeinse principes' uitspreekt.

Of Sarkozy zich in de toekomst nog sterk zal maken voor positieve discriminatie is sinds zijn toespraak in het Château de Versailles in het voorjaar van 2009 hoogst twijfelachtig geworden. Zoals hij hier zijn voornemen begroef om Frankrijk in overeenstemming te brengen met de Europese liberale norm, zo omhelsde hij tijdens deze uitzonderlijke 'State of the Union' ostentatief het republikeinse afgodsbeeld van de gelijkheid. Veel anders kon hij niet, want steeds als de discussie rond dit thema oplaait, wordt zij ogenblikkelijk in de kiem gesmoord. 'Een samenleving die de principes schendt waar zij op rust, zelfs met nobele bedoelingen, kan geen rechtvaardige samenleving zijn', stelt de filosoof en columnist Alain-Gérard Slama, om in één moeite door te verwijzen naar de antirepublikeinse brigades die in de jaren dertig van de twintigste eeuw de weg voor maarschalk Pétain en het Vichy-regime geëffend zouden hebben. Krap anderhalve eeuw na Jules Ferry en de stichting van Derde Republiek luidt de waarschuwende boodschap nog steeds: wie aan de republikeinse principes komt, ondergraaft de fundamenten van de Franse samenleving als zodanig – met alle ontwrichtende gevolgen van dien. Daarmee is de discussie over de aanpak van het integratieprobleem dus in zekere zin weer terug bij af: alle pogingen om de integratiemachine met republikeins gereedschap weer aan de praat te krijgen hebben gefaald. Op het moment dat men een instrument uit de multiculturele gereedschapskist zou pakken, vervalt het land tot chaos, zo luidt de algemene overtuiging. De impasse is compleet.

HOOFDSTUK 3

Op de klinkers het asfalt

De herinnering aan mei 1968 wordt in Frankrijk op tal van plaatsen levend gehouden. Ondertussen duurt de twist over de aard en de effecten van de befaamde studentenopstand onverminderd voort. Maar hoe revolutionair zijn de Fransen in het tijdperk van hyperconsumptie eigenlijk nog?

Nergens in Frankrijk gaan *Ancien régime* en Revolutie zo vreedzaam samen als in de Parijse voorstad Saint-Denis. In de schaars verlichte crypte onder de imposante kathedraal in het centrum rusten de Franse koningen. Van Dagobert tot Louis XVIII, op een paar na liggen ze er allemaal. Even verderop, aan het einde van metrolijn 13, bevindt zich de Université Vincennes Saint-Denis, kortweg Paris 8. Hier wordt over een heel andere erfenis gewaakt. Wie door de hal naar boven wil, moet eerst langs een haag met studenten die flyers uitdelen voor de revolutionaire zaak. Beide roltrappen zijn bedolven onder een kluwen in elkaar gevlochten tafels en stoelen. Ze symboliseert de staking die hier gaande is tegen de verzelfstandiging van de Franse universiteit, tegen de regering Sarkozy en tegen het kapitalisme in het algemeen. Prikborden tegenover de cafetaria betuigen steun aan de 'negen van Tarnac', een groep jongeren die er door de Franse justitie van wordt verdacht aanslagen op TGV's te hebben gepleegd. Julien Coupat, de veronderstelde leider van de negen, is een verklaard bewonderaar van Guy Debord. Deze situationistische auteur geldt als een van de grote inspiratoren van de studentenopstand van 1968. Leuzen als 'Jouir sans entrave' (Genieten zonder remmingen) en 'Vivre sans temps morts' (Leven zonder doodse momenten) hadden zo uit diens klassieke *La société de spectacle* (1967) afkomstig kunnen zijn.

Hoewel Paris 8 werd opgericht in de nasleep van '1968', ogen de leuzen op de muur op het eerste gezicht wat minder speels. 'De gevangenis is de toekomst van de mensheid', zo staat er geschreven. Ondertekend: N. Sarkozy. De rechtse president is in dit bastion van radicaliteit vanzelfsprekend niet erg populair. Bewondering gaat sowieso meer uit naar marxistische filosofen, al vraagt iemand zich op een muur evenwel af of Alain Badiou, Jacques Rancière en Giorgio Agamben afdoende zijn 'om de revolutie te denken'. Dat denken van de revolutie gebeurt in de sectie A029, waar de vakgroep filosofie gevestigd is. In sierlijke letters prijken hier de namen van filosoof-vedetten op het roosterbord. Ook hangt er een inschrijflijst voor *La ronde infinie des obstinés*, de 'oneindige rondgang der koppigen', de ludieke actie voor het stadhuis van Parijs waarmee protesterende docent-onderzoekers in het voorjaar van 2009 maanden achtereen protesteerden tegen de voorgenomen verzelfstandiging van de Franse universiteit. Colleges zijn er dus wel, maar met een aangepast programma: geen Kant, maar Gramsci, zeg maar. 'Noem het een tijdelijke verandering van oriëntatie', zo zegt een docente.

Paris 8 heeft dan ook een reputatie hoog te houden. Foucault, een van de oprichters, doceerde er in zijn radicaalste periode. De filosofe Judith Miller werd op last van de minister verwijderd nadat ze voor de radio verklaard had dat de universiteit een kapitalistisch instituut was en dat ze haar best zou doen om dat zo slecht mogelijk te laten functioneren. Karikaturaal? Zeker, maar wie mocht denken dat Paris 8 het enige openluchtmuseum is van mei '68, vergist zich. Ook elders is de herinnering aan de studentenrevolte nog steeds springlevend en worden haar gebruiken in ere gehouden. Neem het fenomeen van de Assemblée Générale (AG), een direct voortvloeisel van '68 en op vrijwel alle Franse universiteiten praktijk. Studenten kunnen zich er uitspreken voor of tegen sluiting van de universiteit. Nog steeds gebeurt het regelmatig dat een paar honderd radicale studenten op die manier een universiteit van 40.000 studenten plat leggen.

Rechtse kranten spreken daar regelmatig schande van, maar er is vrijwel niemand die het principe van studentenzeggenschap in twijfel trekt.

Hoezeer mei '68 doorleeft in de hoofden van de huidige generatie scholieren en studenten bleek duidelijk tijdens de wekenlange protesten tegen het jongerencontract *Contrat Première Embauche* (CPE) uit 2006. Toenmalig premier Dominique de Villepin hoopte met dit contract de hoge jeugdwerkeloosheid te bestrijden. In plaats daarvan ziet hij zich geconfronteerd met bonte defilés en geblokkeerde universiteiten. Studenten aarzelen niet de Sorbonne te bezetten: een symbolische daad, aangezien deze universiteit in '68 het epicentrum van de studentenrevolte was. Terwijl de oproerpolitie in allerijl het Quartier Latin afzet, verrijzen achter de eikenhouten poorten aan de rue Cousin barricades van bibliotheekmeubilair. Aan revolutionaire romantiek ontbreekt het niet: via een ingeslagen raampje worden saucijsjes, wijn en madeleines aangevoerd, en uit de vleugel in het amfitheater Richelieu weerklinkt klassieke muziek.

Verderop, op de eveneens bezette Ecole des Hautes Etudes en Sciences Sociales (EHESS) is de sfeer aanzienlijk grimmiger. Toch wordt ook hier hardop over een reprise van '68 gedroomd. Rekenden de studenten in 1968 (tevergeefs) op de slagkracht van de arbeiders om de revolutie te ontketenen, nu wordt daarvoor ingezet op jongeren uit de *banlieue*. En niet zonder aanleiding: hadden die tijdens de rellen van een paar maanden eerder niet laten zien over het nodige revolutionaire potentieel te beschikken? Het vijftiental Italiaanse anarchisten dat zich meldt aan de poort van de EHESS droomt hardop weg bij de gedachte aan zo'n onwaarschijnlijke coalitie. Direct na het nieuws van de bezetting van de Sorbonne zijn zij vanuit Turijn richting Parijs gereden. De *banlieusards* in kwestie laten zich minder makkelijk voor de kar van de revolutie spannen. Tijdens een betoging voor Les Invalides in Parijs hakt een vijftigtal jongeren uit de *banlieue* in op de studenten met wie ze eigenlijk schouder aan schouder zouden moeten optrekken richting de paleizen van de Republiek.

MEEDRAAIEN IN DE HERDENKINGSCARROUSSEL

Terwijl de studenten in de bezette Sorbonne hun eigen '68 trachten te ontketenen, worden ze beschimpt door de oudere generatie. 'Waarom toch altijd weer de Sorbonne?' vraagt Dominique Dhombres, televisiecriticus van *Le Monde*, zich af. 'Hadden de studenten niet iets originelers kunnen bedenken? Waarom deze remake?' Maar zelfs als het waar is dat de geschiedenis zich herhaalt als farce, dan nog kan ook Dhombres moeilijk ontkennen dat de herinnering aan het origineel in ieder geval nog springlevend is.

Mei 1968 leeft ook in de verbeelding van Nicolas Sarkozy. Ruim een jaar na de protesten tegen het CPE, op een beslissend moment in de campagne voor het presidentschap van 2007, houdt hij in een kolkend sportpaleis Bercy een geruchtmakende rede. Twintig minuten achtereen vaart hij uit tegen 'de erfenis van '68': 'De erfgenamen van '68 menen dat alles is toegestaan, dat er geen onderscheid meer bestaat tussen het goede en het slechte, het ware en het onware, het schone en het lelijke.' Volgens de presidentskandidaat ontkennen zij iedere moraal en autoriteit en zijn daarmee verantwoordelijk voor zo ongeveer alle problemen van het huidige Frankrijk: van de crisis in het openbaar onderwijs tot de problemen in de *banlieue* en zelfs de cultuur van gouden handdrukken en andere uitwassen van het kapitalisme. Het is hoog tijd om de erfenis van '68, in de woorden van Don Sarkozy, 'te liquideren'.

Weer een jaar later herdenkt Frankrijk massaal de veertigste verjaardag van '1968'. De studentenleiders van weleer hoeven niet op een decoratie van staatswege te rekenen: het herdenken gebeurt vooral in documentaires op televisie, in krantenbijlagen, op symposia op universiteiten door het land en in een eindeloze stroom boeken, veelal geschreven door de acteurs zelf. In de salon van zijn appartement zegt André Glucksmann weinig op te hebben met 'de oud-strijders die zichzelf medailles op de borst spelden'. Toch kon ook de bekende intellectueel en mensenrechtenactivist de verleiding van het jubileum niet weerstaan. Samen met zijn zoon Raphaël publiceerde hij *Mai 1968 expliqué à Nicolas Sarkozy*. Glucksmann, een van de vaandeldragers van '68, betuigde in de aanloop naar de presidentsverkiezingen steun aan Sarkozy en zorgde daarmee voor een storm van verontwaardiging in het kamp van linkse intellectuelen. 'Sarkozy sprak als eerste leider van een grote westerse democratie over Tsjetsjenië en stelde dat het géén detail was dat daar 1 op de 5 bewoners is uitgeroeid', verdedigt hij zich.

Terwijl zijn zoon een meegebrachte fles port uitschenkt, vertelt Glucksmann senior hoe hij destijds in de studentenopstand verzeild raakte. Vanzelfsprekend was dat niet. Hij was immers al dertig toen de revolte uitbrak, gepromoveerd bij de beroemde socioloog Raymond Aron en met een mooie universitaire carrière in het verschiet. De studentenrevolte 'verveelde' hem. 'Dat ik alsnog bij '68 betrokken raakte, was toeval', zegt hij. 'Ik had een uitzonderlijk knap vriendinnetje op dat moment, een studente letteren aan de Sorbonne. Zij zei: "als je niet meekomt maak ik het uit", en tja, toen deed ik dus maar mee.' En meedoen deed Glucksmann; hij sloot zich zelfs aan bij een maoïstische beweging – een periode die hem naar eigen zeggen nog steeds het schaamrood op de kaken bezorgt. Zelfs in het Frankrijk van nu wordt hij er nog regelmatig mee bespot. *Gloopsmann,* noemde de bekende cartoonist Plantu hem in weekblad *l'Express*: 'De intellectueel die "gloeps" zegt als hij aan zijn verleden wordt herinnerd.'

Glucksmann zat op de tribune op het moment dat Sarkozy zijn donderpreek tegen '68 inzette. Hij lacht er maar een beetje om. Ironisch is het wel. Glucksmann steunde Sarkozy juist *omdat* deze met zijn iconoclastisch optreden juist een exponent zou zijn van het '68-denken. Net als Sarkozy met zijn aangekondigde 'breuk' met het tijdperk Chirac, beoogde '68 immers óók een breuk met de praktijken uit het verleden. 'Als Sarkozy mei '68 wil liquideren, zal hij ook zichzelf moeten ombrengen' corrigeert Glucksmann daarom de man op wie hij stemde en die hij bij tijd en wijle van advies voorziet. Dat Sarkozy een exponent van de geest van '68 is, zou voorts blijken uit de materialistische trekjes van de president. Met zijn voorliefde voor dure horloges,

Ray-Ban zonnebrillen, luxejachten, privéjets en mooie vrouwen is hij immers het vleesgeworden hedonisme waar '68 volgens sommigen het terrein voor heeft geëffend. Zo schrijft Daniel Cohn-Bendit, tegenwoordig fractieleider van de Groenen in het Europese Parlement en een van de historische leiders van '68, in *Forget '68* dat Sarkozy in het Frankrijk van De Gaulle geen schijn van kans hebben gehad tot president te worden gekozen. 'Sarkozy heeft kinderen verwekt in verschillende bedden', aldus Cohn-Bendit. 'Hij is bezig aan zijn derde huwelijk. De Gaulle en zijn vrouw draaien zich om in hun graf. Vergeleken met Sarkozy ben ik een conservatief. Een eenvoudige kleinburger!'

Studenten die hun universiteit bezetten, niet omdat zij willen dat het vermolmde systeem hervormd wordt, maar juist om te eisen dat alles bij het oude blijft; André Glucksmann een *sarkozyste*; Sarkozy een *soixante-huitard*; Daniel Cohn-Bendit een eenvoudige kleinburger... in het huidige Frankrijk is niets meer wat het lijkt. Dat '1968' nog steeds leeft, is overduidelijk, maar wat men er ruim veertig jaar na de gebeurtenissen mee aanmoet, is onduidelijker dan ooit.

DE ONVINDBARE REVOLUTIE

Frankrijk is er in het roemruchte jaar 1968 eigenlijk betrekkelijk laat bij. Terwijl in het vroege voorjaar studenten van Italië tot Japan slaags raken met de politie, lijken studenten op de Franse campussen zich aanvankelijk slechts druk te maken over de vraag of de jongens 's avonds bij de meisjes op bezoek mogen. 'Wanneer Frankrijk zich verveelt', schrijft *Le Monde* anderhalve maand voordat de eerste rellen in het Quartier Latin uitbreken in een later veelvuldig geciteerd artikel. Geprotesteerd wordt er in 1968 op meerdere plaatsen in de wereld. Toch denkt men bij dat jaar haast automatisch aan 'Parijs', en inderdaad zal de Franse situatie uiteindelijk in veel opzichten uniek blijken. Door het relatieve happy end bijvoorbeeld: ondanks de heftige protesten vallen er geen doden te betreuren. Een deel van de rebellerende studenten zoekt zijn heil bij maoïstische bewegingen, maar Frankrijk zal, anders dan Duitsland, Italië of Japan, geen 'loden jaren' kennen. Van terroristische acties komt het niet. Uniek is ook het samenvallen van de studentenopstand met een massale arbeidersbeweging. Niet alleen universiteiten, ook fabrieken worden door het hele land bezet, met als epicentrum de Renault-fabrieken in de Parijse voorstad Boulogne-Billancourt, waar Sartre de stakende arbeiders vanaf een olievat tot een revolutie tracht aan te sporen. Een en ander resulteert in de grootste staking uit de geschiedenis. Negen miljoen mensen (twee derde van de beroepsbevolking) leggen het werk neer. Anders dan in andere landen wankelt ook de macht in Frankrijk even vervaarlijk. President de Gaulle, met tegenzin teruggekeerd van een staatsbezoek aan Roemenië, maakt een besluiteloze indruk. Op het hoogtepunt van de protesten vliegt hij per helikopter naar Baden-Baden in Duitsland, zijn ministers in vertwijfeling achterlatend. Stéphane Douailler, hoogleraar filosofie aan Paris 8, herinnert het zich nog als de dag van gisteren. 'Plotseling werd ons de kwetsbaarheid van de macht duidelijk en daarmee ook de kwetsbaarheid van de democratie', zegt hij in een café in het Quartier Latin tegen een groepje studenten. 'Ministeries stonden leeg, als we hadden gewild hadden we zo naar binnen kunnen lopen.' Van een revolutie kwam het in 1968 niet, maar het scheelde slechts een haar.

Het 'mei-moment' gaat ook weer snel voorbij. Op 30 mei marcheren 800.000 mensen over de Champs Elysées om De Gaulle te steunen en tijdens de inderhaast uitgeschreven parlementsverkiezingen winnen de gaullisten eind juni met een overweldigende meerderheid. 'Onder de klinkers het strand', luidt een van de vele ludieke leuzen van de studentenopstand. Voor de Sorbonne bedekken grote machines die klinkers dat najaar met een dikke laag asfalt. 'Niets was veranderd en alles was veranderd', zegt Cohn-Bendit. Maar wat veranderde er precies? Wat waren de aard en de effecten van '1968'? Tot op de dag van vandaag blijven die vragen Frankrijk verdelen. De interpretaties stapelen zich inmiddels zó hoog op dat ze zijn als spreekwoordelijk asfalt op de boulevard Saint-Michel: ze hebben de eigenlijke gebeurtenis goeddeels uit het zicht onttrokken. Grofweg zijn er twee zienswijzen: enerzijds zijn er de apologeten, die menen dat '68 een verdorde samenleving nieuw en noodzakelijk leven inblies; anderzijds de critici, die in het beste geval menen dat '68 een bandeloos carnaval was en in het slechtste geval dat het de bron is van alle kwalen van het moderne Frankrijk.

De interpretatiestrijd brandde al los toen het traangas nog in de straatjes rond de Sorbonne hing. Zo publiceert de socioloog Edgar Morin nog datzelfde jaar een serie artikelen (bijeengebracht in *Mai 68, La brèche*) waarin hij stelt dat er zich iets groots en fundamenteels aan het voltrekken is. De revolutie heeft dan misschien niet plaatsgevonden, maar de vloer is uit het gebouw gevallen. Er is een bres (*brèche*) geslagen in het dichtgetikte, paternalistische en hiërarchische Frankrijk waar gaullisten en communisten sinds 1945 de dienst uitmaakten. Een wereld hield op te bestaan. De wereld waarin Cohn-Bendit zich naar eigen zeggen liet kaalscheren opdat zijn leraar hem niet langer aan zijn haar door de klas zou sleuren, maar ook de wereld waarin André Malraux – in loden jas en met karakteristiek bezwerende stem – eer kon bewijzen aan de verzetsheld Jean Moulin tijdens diens bijzetting in het Pantheon. In een nawoord, geschreven in 1978, onderstreept Morin nog eens waar het volgens hem tien jaar eerder om te doen was geweest: libertinisme en broederschap, verzet tegen autoriteit en hiërarchie. Morins optimistische visie is dan echter al van verschillende kanten onder vuur komen te liggen. Een bont geschakeerde alliantie van intellectuelen is bezig '1968' ideologisch te torpederen. Buiten Frankrijk is het bestaan van deze contrarevolte minder bekend, maar zij verdient aandacht, alleen al omdat het laat zien dat Sarkozy's aanval op 'de erfenis van '68' bepaald niet uit de lucht is komen vallen.

Een van de eersten die uithaalt naar '68 is de al eerder genoemde Raymond Aron. Nadat hij zich vanuit Brussel door zijn vriend en vroegere leermeester, de enigmatische Russische filosoof Alexandre Kojève, heeft laten verzekeren dat er geen sprake kan zijn van een revolutie (er waren immers geen doden gevallen), benoemt Aron de revolte als een 'psychodrama'. Later in het jaar publiceert hij zijn klassieke *La révolution introu-*

vable. Als Morin en de zijnen erop wijzen dat de gebeurtenis de fragiliteit van de moderne samenleving heeft blootgelegd, dan geeft Aron te kennen niet in dat optimisme te delen. 'Zij zijn er content mee, ik maak me juist grote zorgen', zo schrijft hij. 'Zij dromen van een libertaire orde, ingericht volgens de idee van zelfregulatie. Mij lijkt dat onverenigbaar met de moderniteit, zelfs als ik een toenemende liberalisering niet uitsluit: van de universiteit, van het bedrijfsleven, in Frankrijk en overal elders in de kapitalistische wereld.' Aron kent zijn klassieken: als hij denkt dat er een zekere 'bevrijding' mogelijk is, dan leerde lezing van denkers als Aristoteles, Machiavelli en Hobbes hem dat een samenleving niet kan functioneren zonder autoriteit en dat het antihiërarchische project van mei '68 in die zin tot mislukken is gedoemd.

VAN RODE BOEKJE NAAR WHO'S WHO

'Vergis je niet, Aron was geen reactionair!', op de sofa van zijn appartement in de rue des Beaux-Arts benadrukt Alain-Gérard Slama het nog maar eens. 'Hij had zich altijd uitgesproken tegen de mandarijnencultuur op de Sorbonne. Hij zei: "Ik heb altijd gepleit voor hervorming van de universiteit, maar ik pik het niet als een groepje onverantwoordelijke kinderen er de boel komt afbreken."' Slama, behalve hoogleraar ideeëngeschiedenis aan *Sciences Po* ook columnist bij radiozender France Culture en *Le Figaro*, gaf destijds gehoor aan Arons 'appel': 'Hij riep iedereen die het met hem eens was op om naar hem toe te komen. Ik ben hem toen op gaan zoeken, gewoon, bij hem thuis, in zijn appartement tegenover de Jardin du Luxembourg aan boulevard Saint-Michel.' Slama denkt nog steeds met veel plezier aan die ontmoeting terug, zelfs al koesterde Aron een zeker wantrouwen. 'Ik was toen al uitgesproken rechts en hij was er beducht op extreem rechtse types aan te trekken.' Met de zegen van Aron op zak richt Slama in 1970 het tijdschrift *Contre Point* op, een directe reactie op '68 en bedoeld als tegenwicht tegen het marxisme dat de Parijse intellectuele wereld op dat moment in zijn greep heeft. Het tijdschrift wordt gedragen door de zogeheten *aroniens*, de reguliere bezoekers van Arons wekelijkse seminar aan het Collège de France. Nadat *Contre Point* in 1977 ter ziele gaat, richten zij *Commentaire* op, een tijdschrift dat nog steeds bestaat en in Frankrijk een belangrijke rol zou spelen bij de 'herontdekking' van liberale denkers als Benjamin Constant en Alexis de Tocqueville.

Beide tijdschriften figureren prominent in *La Pensée anti-1968* (2008) van Serge Audier. Deze jonge ideeënhistoricus maakte een inventarisatie van de verwijten die mei 1968 de afgelopen veertig jaar naar het hoofd geslingerd kreeg. En dat was nogal wat: het ondermijnen van de principes van de liberale democratie, totale verwerping van het kapitalisme, ontkennen van autoriteit, nivellering, nihilisme, waardenrelativisme, ondermijning van de moraal, verheerlijking van geweld enzovoort. Tot de vijanden van '68 behoorden overigens lang niet alleen rechtse of conservatief-liberale intellectuelen, zo maakt Audier duidelijk. Ook vanaf de uiterst linkse vleugel wordt met scherp geschoten. Zo is men bij de invloedrijke *Parti communiste français* (PCF) weinig gecharmeerd van de studentenrevolte. Een 'prinsenrevolutie' noemt Michel Verret het. Dat de politie niet geschoten heeft, komt volgens de inmiddels reeds lang vergeten communistische filosoof doordat de studenten de toekomstige maatschappelijke elite vormen: 'zonen en toekomstige vaders van parlementariërs, artsen en hoogleraren, spilzieke erfgenamen en bij voorbaat gepardonneerd'. 'De verbeelding', zo schrijft Verret, 'kan slechts op imaginaire wijze de macht grijpen. En zo'n machtsgreep kan slechts dienstbaar zijn aan een greep naar de reële macht als het onderscheid tussen het imaginaire en het bestaande in acht genomen wordt.' De rebellerende studenten zijn daar overduidelijk niet toe in staat, met als gevolg – en ook partijbaronnen als Jacques Duclos onderstrepen dat – dat zij de zittende macht en het grootkapitaal juist een dienst bewezen in plaats dat zij de weg effenden voor omverwerping van het kapitalisme.

Een dergelijke vijandige reactie vanuit de PCF is niet verwonderlijk, aangezien deze partij een van de voornaamste doelwitten van de studenten is. 'Op het hoogtepunt van de studentenprotesten voor de Sorbonne klom de communistische dichter Louis Aragon op het podium', herinnert André Glucksmann zich. 'Hij zei: "Ik kom jullie beweging steunen tegen de zin van de Partij." Cohn-Bendit zei toen: "Prima, maar dan moet je ons eerst uitleggen waarom je Stalin hebt gesteund en daarmee de Goelag." Aragon, al erg oud, was een beetje overdonderd, wist niet direct wat hij moest zeggen en klom het podium weer af. "Je hebt bloed op je witte haren, oude man!", riep Cohn-Bendit hem toen na en dat was een heel krachtig moment, want het was waar dat Aragon een verschrikkelijke stalinist was, maar hij was ook de grote dichter van het verzet. Hij was de glorie van het oude Frankrijk!'

De kritiek op '68 komt niet alleen van buitenaf. Ook van binnenuit komt de beweging onder vuur te liggen. Naarmate de jaren verstreken maakten prominente *soixante-huitards* carrière, veelal in de wereld van media en politiek, tot ergernis van veel van hun vroegere kameraden. Een befaamd voorbeeld van deze interne kritiek is de *Lettre ouverte à ceux qui sont passés du col Mao au Rotary* (Open brief aan degenen die hun Mao-col inruilden voor de Rotary, 1986) van Guy Hocquenghem. Deze filosoof en medeoprichter van het *Front Homosexuel d'Action Révolutionnaire* mikt op de kopstukken van de Meibeweging, die hun idealen volgens hem ondergeschikt hebben gemaakt aan hun maatschappelijke carrière en zo 'van het Rode Boekje zijn overgestapt naar de *Who is Who*'. Mei 1968 heeft een monster gebaard, zo betoogt Hocquenghem. Het heeft 'de neus van Glucksmann, de sigaar van [Serge] July, het zongebruinde gezicht van [Jack] Lang, de snor van [Régis] Debray en het openstaande overhemd van [Bernard-Henri] Lévy.' Zou Hocquenhem nog hebben geleefd, dan zou hij zeker ook het dagblad *Libération* hebben beschimpt. In 2005 ziet de in 1973 mede door Sartre opgerichte krant zich genoodzaakt een externe financier te zoeken. Het wordt Edmond de Rothschild, telg uit de beroemde bankiersfamilie. Van Sartre naar Rothschild, kan het ironischer?

DE PARADOXEN VAN HET HYPERCONSUMENTISME

Van grote, zo niet beslissende invloed op het debat over de aard en de effecten van '1968' is *l'Ère du vide. Essais sur l'individualisme contemporain* (Het tijdperk van leegheid. Beschouwingen over het hedendaagse individualisme, 1984) van de filosoof-essayist Gilles Lipovetsky. Volgens Lipovetsky zijn de rebellerende studenten het slachtoffer geworden van een klassieke hegeliaanse list van de rede. Zij zeiden het kapitalisme en de consumentensamenleving te bestrijden, terwijl zij ongewild juist bijdroegen aan de consolidatie ervan, of sterker nog, het tot volle wasdom brachten. Het leek het tragische lot van alle revoluties. Ook de revolutionairen van 1789 hadden willen afrekenen met het verleden. Maar zoals Tocqueville in zijn *l'Ancien régime et la Révolution* (1856) had laten zien, versnelden zij slechts de tendensen die daarin werkzaam waren, te weten centralisatie van de staat en de gelijkheid van bestaanscondities.

Gebruikmakend van de inzichten van Tocqueville betoogt Lipovetsky nu iets soortgelijks. Tocqueville ontwaarde in de westerse wereld een onstuitbare tendens richting gelijkheid en individualisme, hetgeen hij definieerde als een 'afgewogen en bezonken gevoel' waarbij de burger zich afkeert van het publieke leven en zich terugtrekt in de privésfeer, waar zijn bestaan onafgebroken draait om het zich verschaffen van 'kleine en vulgaire pleziertjes'. Ondanks alle oproepen tot solidariteit en participatie van de Meibeweging is de individualisering volgens Lipovetsky vanaf de jaren zestig juist enorm toegenomen. Kiemen van het narcistisch hedonisme dat hij vanaf de jaren tachtig overal om zich heen ziet grijpen ontwaart hij in '68-leuzen als 'Hoe meer ik zin heb in het ontketenen van de Revolutie, hoe meer ik zin heb om de liefde te bedrijven; hoe meer ik zin heb om liefde te bedrijven, hoe meer ik zin heb de Revolutie te ontketenen.' Net als hun illustere voorgangers maakten de rebellerende studenten weliswaar geschiedenis, maar zonder te weten welke.

Anders dan de meer conservatieve interpreten van '1968' staat Lipovetsky overigens niet per se negatief tegenover de moderne consumentensamenleving, waar hij zich de afgelopen 25 jaar als ongeëvenaard chroniqueur van ontpopte. Sterker nog: hij is relatief optimistisch gestemd. Maar zoals hij in het meer recente *Le Bonheur paradoxal* (2006) betoogt, is die consumentensamenleving bovenal tweeslachtig. Lipovetsky omschrijft hierin wat hij 'fase III' van de consumentensamenleving noemt. Deze fase volgt op 'fase II', die hij laat eindigen aan het einde van de jaren zeventig. Tijdens deze eerdere fase werd het terrein geëffend voor het hedonisme en consumerisme van het 'massa-individualisme' dat fase III volgens Lipovetsky kenmerkt. Draaide het consumeren in fase II nog om functionaliteit, in fase III gaat het vooral om emotionaliteit. Marketeers springen daar handig op in: in plaats van rationele argumenten (fase II) proberen zij nu te overtuigen met emotionele argumenten. Zij doen een beroep op nostalgie (retromarketing) of op het ecologisch bewustzijn van de consument. Niets verkoopt tegenwoordig immers beter dan wanneer ergens 'bio' of 'duurzaam' op het etiket staat.

Dat laatste duidt volgens Lipovetsky op een andere karakteristiek van fase III: gold het hoeden van schapen op het plateau van Larzac aanvankelijk nog als de meest simpele revolutionare daad, nu gaat dat niet meer op. Consumeren is de structuurgevende bezigheid geworden. Zelfs activiteiten die niet primair op consumeren zijn gericht, dienen de zaak van de hyperconsumentensamenleving. De ecologische beweging of het antiglobalisme zijn daar volgens Lipovetsky misschien nog wel het beste voorbeeld van. Golden die eerst, zo niet als een alternatief, dan toch zeker als een tegenmacht van de consumentensamenleving, in fase III is dat niet langer het geval. Antiglobalisme werd andersglobalisme: via kwijtscheldingen van schulden en regulering streeft men ernaar ontwikkelingslanden te laten delen in onze welvaart. De milieubeweging streeft naar een 'bewustwording' en naar 'verantwoorde consumptie'. Dat moet ook wel: een geloofwaardig alternatief is immers niet langer voorhanden, de consumentensamenleving dringt zich op als een 'onstuitbaar lot'.

In zijn eindoordeel is Lipovetsky verre van louter negatief. Daarmee wijkt hij af van denkers als David Riesman, Herbert Marcuse en Neil Postman, die de moderne mens in boeken met veelzeggende titels als *The Lonely Crowd* (1950), *One Dimensional Man* (1964) en *Amusing ourselves to death* (1985) hadden afgeserveerd als gedegenereerd, manipuleerbaar, vervreemd, passief en geatomiseerd. Zo is het tijdperk van de hyperconsumptie, behalve het tijdperk van de hyperindividualiteit, volgens Lipovetsky ook het tijdperk van de hyperkeuze. Reclame is machtig, maar niet oppermachtig. De consument is verre van een willoos wezen: keer op keer laat hij zich kennen als een zelfbewust acteur. Hij koopt wat hij wil, wanneer hij wil en waar hij wil. Ook zoekt de *Homo consumans* overal mogelijkheden tot zelfoverstijging en zelfverbetering. Hij is niet alleen flexibel, nomadisch en eclectisch, ook is hij creatief en steeds op zoek naar nieuwe uitdagingen. Dat levert een gecontrasteerd beeld op: als het waar is dat de pornoficatie van de samenleving groteske vormen heeft aangenomen, dan blijkt tegelijk uit het succes van films als *Titanic* dat sentimentaliteit daar geenszins onder te lijden heeft. Het succes van boeken als *La vie sexuelle de Catherine M.* (een autobiografisch schandaalboek uit 2001 waarin de hoofdpersoon haar voorliefde voor harde en onpersoonlijke seks uitleeft) wijst volgens Lipovetsky niet op een onderdrukte orgiastische behoefte bij de massa. Eerder het omgekeerde: lezers zien in de hoofdpersoon juist een *freak* wiens voorkeuren en praktijken zij veroordelen als anti-erotisch en gespeend van iedere emotie.

Zonder de deprimerende en verspillende aspecten van de consumptiemaatschappij onder het tapijt te willen schuiven, onderstreept Lipovetsky dat er meer dan ooit mogelijkheden zijn om het eigen bestaan vorm te geven of opnieuw te beginnen. Depressie en angst liggen steeds op de loer; tegelijk zijn vermaak en afleiding overal voorhanden. Daarin schuilt volgens Lipovestky het paradoxale karakter van de hyperconsumentensamenleving. Zijn oordeel erover is noodzakelijkerwijs ambigu: het is weliswaar zeker niet het beloofde land, maar het is evenmin een tranendal. 'De consumentensamenleving kent vele zonden, maar niet alle zonden. Zij neemt de mens zoals hij is: veelvormig, vluchtig, contradictoir, terwijl ze tegelijk beantwoordt aan diens verlangen tot afleiding en ontsnapping, zaken die ondertussen wél deel uitmaken van het leven. *Ecce homo.*' Dit alles lezen als een aanval op mei '68 zou de fijnzinnige diagnose van Lipovetsky echter ernstig tekortdoen. Het neemt niet weg dat zijn theses (met name uit *L'Ère du vide*) de verklaarde vijanden van '68 in de kaart hebben gespeeld. Grote vraag blijft: sorteerde het contraoffensief tegen '1968' effect? Maakte zij de geesten rijp voor Sarkozy's gedroomde nekschot? Niet echt. Uit opiniepeilingen blijkt keer op keer dat de Fransen nog steeds in grote meerderheid een gunstige mening zijn toegedaan over '68 en haar effecten op de samenleving. Eind goed al goed kortom?

Dat lijkt in ieder geval de boodschap van de zorgvuldig geregisseerde ontmoeting tussen Daniel Cohn-Bendit en de in 2009 overleden Maurice Grimaud. Grimaud was tijdens de meidagen prefect van politie van de stad Parijs. Dat het geweld niet escaleerde, wordt unaniem toegeschreven aan het doortastend optreden van deze man, die eigenlijk liever letteren was gaan studeren en die aan zijn superieuren schreef dat 'een demonstrant slaan die op de grond ligt, neerkomt op het slaan van zichzelf'. Er is geen televisiezender die in het voorjaar van 2008 de beelden van de verbroedering tussen de voormalige studentenleider en de politiecommissaris kan weerstaan. *Forget '68* was zoals gezegd de titel die Cohn-Bendit meegaf aan het boekje dat hij uitgaf tijdens de meest recente herdenkingsgolf. Het verleden is niet dood, zo haast hij erin te onderstrepen, maar het is bedolven onder veertig jaar spreekwoordelijke straatklinkers die de wereld sindsdien hebben gevormd en bepaald. Mei '68 is verteerd en opgenomen in de bloedbaan van de Franse samenleving.

Dat mag zo zijn, maar de vraag is of dat standpunt niet miskent hoezeer '68 in Frankrijk nog steeds dienstdoet als stichtingsmythe en identificatiepunt. Voor studenten, voor intellectuelen, voor politici en voor hun kiezers. Mei '68 is als een spook dat door Frankrijk waart en zich op de meest onverwachte momenten manifesteert. Aan de andere kant: dat dat identificatiepunt tegenwoordig 1968 is en niet langer 1789 of 1848 is tegelijk veelzeggend over het revolutionaire gehalte van de huidige Franse samenleving. Daar wordt nogal eens naar verwezen als de buitenwijken branden of de straten vol staan met boze demonstranten. Maar '1789' en '1848' waren echte revoluties, '68 op zijn hoogst een rebellie. De vraag is daarom ook gerechtigd of Frankrijk nog wel een revolutionaire natie is. Zoals bij iedere staking blijkt, kent Frankrijk nog steeds talrijke rebellen. Maar revolutionairen? In de Parijse voorstad Saint-Denis ligt niet alleen het *Ancien régime* begraven.

HOOFDSTUK 4

Krassen op de Franse ziel

Vaderlandsliefde nam in Frankrijk de afgelopen jaren een hoge vlucht. Na jaren van tobben en zelfkastijding wilden de Fransen graag weer eens ouderwets trots zijn op hun land. Politici surfen ondertussen behendig mee op het nieuw ontdekte nationale sentiment. Maar heeft de natie als politieke vorm eigenlijk nog wel toekomst? Eén ding lijkt zeker: sterven willen de Fransen niet langer voor hun land; erop verliefd zijn ze wél.

Zoals bekend sympathiseerde een aanzienlijk deel van de Franse intelligentsia jarenlang met marxistische dictaturen in verre uithoeken van de wereld. Begin 2008 komt de conservatieve schrijver Denis Tillinac met een wel heel eigenzinnige verklaring voor deze voorkeur op de proppen. 'De lat om dingen mooi te vinden ligt in Frankrijk zó hoog, dat ook intellectuelen het vaak elders zijn gaan zoeken, in de veronderstelling dat het daar beter is. In Castro's Cuba bijvoorbeeld, of in het China van Mao Zedong. Maar ze kwamen met rasse schreden terug. De rest van de wereld blijft immers toch een beetje een *banlieue*, een grauwe buitenwijk van Frankrijk.' Even daarvoor is Tillinacs *Dictionnaire amoureux de la France* verschenen, een onvoorwaardelijke liefdesverklaring aan Frankrijk. De auteur verhaalt over de wielrenner Jacques Anquetil, die in 1965 direct na zijn triomf in de Ronde van Zwitserland in een door De Gaulle beschikbaar gesteld vliegtuig sprong om zich op tijd te kunnen melden bij de start van Bordeaux-Parijs (een koers die hij uiteraard won). Ook schrijft hij over de Franse vrouw en haar veelgeroemde elegantie. Tillinac geeft toe dat de *Française* de beschikking heeft over de beste couturiers en juweliers, maar zelfs zonder al die luxe is zij haar rivales elders op de wereld gemakkelijk de baas. 'Tijdens de Duitse bezetting ontbrak het vrouwen aan alles. In ieder ander land zouden zij hun energie besteed hebben aan zaken als voeding en veiligheid. Franse vrouwen lieten het daar niet bij: ze bleven naar manieren zoeken om zich aantrekkelijk te maken, zoals door met potlood jarretelgordels op hun benen te tekenen.' Frankrijk is in alles superieur, zo luidt zijn boodschap, en op veel kritische noten valt Tillinac dan ook niet te betrappen. Zo hoort het ook bij een 'amoureus woordenboek', vindt een lezer in een reactie: 'Als liefde niet blind is, zou het geen liefde zijn.'

In een enthousiaste bespreking koppelt *Le Figaro* Tillinacs *Dictionnaire* aan 'de patriottistische mode die het land recentelijk heeft overspoeld'. Weliswaar staat er nog niet op iedere Parijse straathoek iemand met de Franse driekleur te zwaaien, maar zeker is dat nationale symboliek niet langer voorbehouden is aan het *Front National* van Jean-Marie Le Pen. Dat was wel gebleken tijdens de verkiezingscampagne van een jaar eerder: Nicolas Sarkozy begeesterde met lyrische toespraken waarin hij het Franse verleden ophemelde; zijn socialistische tegenstreefster Ségolène Royal bleef niet achter en dweepte met republikeinse symboliek. Een andere aanwijzing van het gekeerde sentiment is dat een uitgever het heeft aangedurfd de zeventiendelige *Histoire de la France* van Jules Michelet (1798-1874) te herdrukken. Als geen andere historicus was de geniale verteller Michelet – die zijn ogen niet sloot voor de duistere episodes, maar steeds last kreeg van migraine als hij ze moest beschrijven – erin geslaagd van de Franse geschiedenis een 'roman national' te smeden; een overkoepelend en samenbindend verhaal. De uitgever zal zich ongetwijfeld gesterkt hebben gevoeld door het succes van het even eerder reeds herdrukte *Tableau de la France* (1861). Dit werkje, onderdeel van de *Histoire*, is het best te omschrijven als literaire aardrijkskunde. Michelet onderneemt er een zoektocht naar het genie van de Franse natie: hij volgt de Seine, 'die magnifieke waterweg, waar kastelen aan kastelen raken en dorpen aan dorpen', dwaalt door de heuvels van Poitou, verdiept zich in de geschiedenis van Bretagne, verwondert zich over de steenmassa's in de Aubrac, bereist de Provence, 'waar de Rhône is wat de Nijl is voor Egypte'. 'Engeland is een wereldrijk, Duitsland een land, een ras; Frankrijk is een persoon', zo luidde zijn conclusie. Overal duikt deze laatste uitspraak plotseling op, al blijft *Le Monde* een zekere afstand houden. Frankrijk een persoon? 'Dan toch in elk geval een vrouw, de schoonheid zelve', schrijft de krant ironisch. Uit een opiniepeiling blijkt evenwel dat het de overgrote meerderheid van de Fransen wel degelijk ernst is: 84 procent noemt zich een trotse Fransman of Française.

Maar 'recente patriottistische mode'? Waren de Fransen niet altijd al kampioenen van de vaderlandsliefde geweest? Hoort chauvinisme, nota bene een Frans woord, niet bij Frankrijk als de Tour de France, roquefortkaas en boekenstalletjes langs de Seine? Vanaf de late negentiende eeuw waren schoolkinderen opgegroeid met *Le Tour de la France par deux enfants* (1877) van de schrijfster Augustine Fouillée. Dit boekje, ook wel het 'Rode Boekje van de Republiek' genoemd, vertelt het verhaal van twee kinderen die Frankrijk doorkruisen op zoek naar hun familie en zo gaandeweg zijn bewoners en hun gebruiken leren kennen. Ze ontdekken dat iedere streek zijn eigenaardigheden heeft, maar ook dat 'Frankrijk' de noemer is die al deze eigenaardigheden samenbrengt: 'Frankrijk is als een tuin en de provincies zijn haar bloemen.' Patriottisme is een steeds terugkerend thema. Als de kinderen op een gegeven moment uitgeput dreigen te raken, herinneren zij elkaar eraan dat zij de moed niet mogen opgeven en zich als 'Fransen' moeten gedragen. Historici, van Michelet tot Fernand Braudel, putten zich uit in liefdesbetuigingen aan hun land, maar zij verbleekten bij de Franse presidenten. Zo sprak De Gaulle over Frankrijk als een 'sprookjesfee' en 'een Madonna in een muurschildering' en Mitterrand zei ooit dat 'als Frankrijk een groots idee ontmoet, ze samen de hele wereld over reizen'. De lof van Frankrijk is in de loop der eeuwen wel op duizend verschillende manieren bezongen.

Maar sinds het midden van de jaren negentig van de vorige eeuw maakte het gevoel van nationale trots plaats voor een aan zelfhaat grenzende ondergangsstemming. Dat betekent niet dat de Alpha Jets op 14 juli niet langer hun rood-wit-blauwe rook boven de Parijse hemel uitstoten en evenmin dat de *légionnairs* plotseling verleerd zijn hoe een militair eerbetoon op de binnenplaats van Les Invalides eruit behoort te zien: de vormen bleven intact. Het probleem zit in het hoofd, letterlijk. Nergens ter wereld schrijven artsen zoveel antidepressiva voor als in Frankrijk. Het gevoel van malaise wordt bijna tastbaar tijdens de laatste jaren van het presidentschap van Chirac: Parijs moet slikken dat de Olympische Spelen van 2012 naar Londen gaan; het door de gezamenlijke politieke elite uitgedragen project voor een Europese Grondwet stuit op een 'Non' en in de *banlieue* breken rellen uit van zo'n hevigheid dat de regering zich genoodzaakt ziet een avondklok in te stellen. Een paar maanden later loopt een wanhoopspoging om de jeugdwerkeloosheid terug te dringen stuk op protesten van boze, maar vooral bange studenten. Het land lijkt de greep op zichzelf volkomen kwijt. Nooit eerder was het vertrouwen in de toekomst zo gering. 'Ik vraag me af of het land sinds het einde van de Tweede Wereldoorlog een moment van zulke diepe morele depressie heeft gekend', stelt de in 2007 overleden historicus René Rémond een jaar voor zijn dood in het toonaangevende tijdschrift *Le Débat*.

TUSSEN TROTS EN ONBEHAGEN

Het nationale onbehagen wordt het beste vertolkt door een groep intellectuelen die bekendheid verwerft als *les Déclinologues*. Zoals hun naam al zegt, bezingen zij niet zozeer Frankrijks lof als wel haar neergang. In boekjes met verontrustende titels als *Le Malheur français* (De Franse rampspoed), *La Société de la peur* (De samenleving van de angst), *La France en faillite* (Frankrijk bankroet), *Le créspuscule des petits dieux* (De godjesschemering), wijzen zij op de hoge werkeloosheid, de onbetaalbare verzorgingsstaat, het inefficiënte staatsapparaat, de explosieve situatie in de buitenwijken, de falende integratie en de hoge staatsschuld. Hard tekeer gaan de *Déclinologues* vooral tegen het politieke establishment en tegen de oude president. 'Frankrijk zit opgesloten in een luchtbel van leugens en demagogie', zo zegt de historicus en publicist Nicolas Baverez. 'Vanuit electorale overwegingen hebben de politieke leiders nooit durven zeggen waar het op staat, zij hebben problemen steeds omzeild en de schuld aan Europa en de globalisering gegeven.'

Baverez is in veel opzichten een intellectueel zoals die alleen in Frankrijk worden gemaakt: in het tijdsbestek van vier jaar doorliep hij de Ecole normale supérieure, behaalde diploma's op de eliteschool *Sciences Po* en de Sorbonne, schreef een vuistdik proefschrift en doorliep aansluitend de Ecole nationale d'administration (ENA), de plek waar het unieke ras der Franse topambtenaren, de zogeheten *hauts fonctionnaires*, wordt gekweekt. Uitzonderlijker is dat hij publicistenwerk bij bladen als het rechts-liberale *Le Point* en centrumlinkse kranten als *Le Monde* combineert met een partnerschap bij een groot internationaal advocatenkantoor en vooral dat hij een bewonderaar is van *Iron Lady* Margaret Thatcher – een voorkeur die hem in het antiliberale Frankrijk eigenlijk al bij voorbaat diskwalificeert. In 2003 veroorzaakte Baverez een maandenlange polemiek met zijn pamflet *La France qui tombe,* (Het Frankrijk dat [om]valt). Het bevat een dermate schrikbarende diagnose dat het hem direct tot onbetwiste leider van de *Déclinologues* maakt. Frankrijk, zo luidt Baverez' boodschap, moet zich niet in zichzelf terugtrekken, maar juist de luiken opengooien. Hij wijst op de honderdduizenden jonge ambitieuze Fransen die hun land de rug toekeerden om te gaan werken in de Verenigde Staten of de Londense City. Het is erop of eronder: als Frankrijk zijn vermolmde sociaaleconomische systeem niet grondig op de schop neemt, zo waarschuwt hij, zal het onherroepelijk in een openluchtmuseum veranderen.

Hebben de *Déclinologues* gelijk? Is Frankrijk inderdaad uitgegroeid tot 'de zieke man van Europa'? Het valt onmogelijk te zeggen. De prominente economische historicus Jacques Marseille komt met cijfermateriaal waaruit eerder het tegendeel blijkt. Volgens hem zijn er twee Frankrijken: een dat vooruitgaat en een ander dat op de rem trapt (tevens de titel van zijn boek: *La guerre des deux France: celle qui avance et celle qui freine*, 2004). Het neemt niet weg dat de diagnoses van de *Déclino-*

logues overeenkomstig het heersende sentiment zijn. 'Iedereen praat tegenwoordig als Baverez', stelt *Le Point* vast. Het linkse weekblad *Marianne* spreekt over de *Déclinologues* als een 'anti-France', waarvan het 'masochistische discours van haat jegens het eigen vaderland domineert'.

Terwijl de nationale klaagzang zo naar een hoogtepunt gaat, zwelt ook een tegengeluid aan. Zo publiceert de *bestselling* historicus Max Gallo begin 2006 een pamflet waarvan titel noch omslag iets te raden laten omtrent de loyaliteiten van de auteur. Gallo, auteur van een eindeloze reeks populariserende geschiedenisboeken en biografieën, kan het niet langer aanzien dat het land dat hij als zoon van Italiaanse immigranten zo innig heeft omarmd door het slijk getrokken wordt. *Fier d'être français* (Trots om Fransman te zijn) heet zijn pamflet dan ook kortweg. Het omslag draagt kleuren van de Franse *tricolore*. In het pamflet richt Gallo zich tot 'de aanklagers' die de bevolking proberen wijs te maken dat Frankrijk is gedoemd of juist dat het slechts verdoemenis zaait. Onder de aanklagers rekent hij vanzelfsprekend de *Déclinologues*, maar ook degenen die eisen dat Frankrijk boete doet voor de misdaden die het in het verleden heeft begaan, zoals de kolonisatie en de slavernij. Voor de *Déclinologues* heeft hij in zoverre respect dat zij op reëel bestaande problemen wijzen. Zijn punt is dat zij maar niet willen begrijpen dat de ziekte, waarvan zij met zoveel verve de verschijnselen schetsten, een nationale identiteitscrisis heet. Die crisis, Gallo onderstreepte het nog maar eens, komt niet voort uit de ophemeling van de Franse natie, zoals sommige boetepredikers menen, maar uit een stelselmatige *verwaarlozing* ervan. Wie neemt er tegenwoordig nog woorden als 'natie' en 'vaderland' in de mond, zo vraagt hij zich af. 'Het is hoog tijd dat er eens iemand opstaat en zegt: "Ik ben er trots op Fransman te zijn."'

Maar wat betekende dat eigenlijk, 'Fransman' zijn? Dat het land het spoor eventjes bijster was geraakt, was volgens Gallo nog tot daaraan toe; veel zorgelijker is dat het niet meer weet wie of wat het is. Bestaat er zoiets als een Franse identiteit, en zo ja, wat zijn daarvan de componenten? Zo luidde de vraag die niet alleen een aanzienlijk deel van de Parijse intelligentsia in zijn greep had, maar spoedig ook de nationale politiek zou gaan beheersen. In het voorwoord van een bundeling van gesprekken met prominente intellectuelen en politici dat hij de veelzeggende titel *Qu'est-ce que la France?* (Wat is Frankrijk?) meegeeft, formuleert Alain Finkielkraut de vraag aldus: 'In wat voor gemeenschap moeten de mensen leven in deze tijd van globalisatie, dat wil zeggen in een tijd van kolossale technische, economische en demografische omwentelingen? In een lijfelijk bestaand vaderland? In een polymorfe ruimte, zonder aanwijsbare identiteit? Moet men, om de Ander op een waardige manier te ontvangen, het eigen vertrouwde zelf uithollen of dat juist laten voortbestaan? Wat is uiteindelijk de moreel legitieme, politiek houdbare en cultureel vruchtbare relatie tussen het recht en de geschiedenis, de doden en de levenden, het algemene en het bijzondere, de immigranten en de autochtonen? Anders gezegd: onze vraag is niet langer die uit 1882, maar: Wat is Frankrijk? En vervolgens: Welke vorm moet het aannemen? Nog steeds een natiestaat of een samenleving die nadrukkelijk postnationaal is?' Met het jaartal 1882 verwijst Finkielkraut naar *Qu'est-ce qu'une nation?* (Wat is een natie?), de titel van de beroemde lezing die de schrijver, filosoof en historicus Ernest Renan op 11 maart van dat jaar hield aan de Sorbonne. Velen beschouwen die lezing nog steeds als de meest treffende karakteristiek van een natie – ook al vertoont de rede de overduidelijke sporen van de pijnlijke nederlaag tegen de Pruisen in 1870.

MCDONALDISÉS, KETCHUPISÉS, COCALISÉS

De kwestie van de Franse identiteit werd door historici al vaker opgeworpen. En niet door de eerste de beste: in de negentiende eeuw speurden Michelet en Renan ernaar, en meer recentelijk was dat de al even genoemde Braudel. Op latere leeftijd had de auteur van het klassieke *La Méditerranée et le monde méditerranéen à l'époque de Philippe II* (De Middellandse Zee en de mediterrane wereld in de tijd van Filips II, 1949) zich aan een omvangrijke en uiteindelijk onvoltooid gebleven zoektocht naar de Franse identiteit gezet. Toen *Le Monde* hem in 1985 naar die identiteit vroeg, noemde Braudel als belangrijkste componenten de Franse taal, de positie van Parijs als stralende middelpunt van beschaving en cultuur alsook het onvermogen te schitteren op het gebied van de economie en buitenlandse politiek. Beslissend achtte hij wat hij de 'eenheid van Frankrijk' noemde. 'Het is zoals de jacobijnen die tijdens de Franse Revolutie spraken over een "Republiek die één en ondeelbaar is"'. Dit verlangen naar eenheid verklaarde volgens Braudel ook de hardnekkige behoefte om zaken centraal te regelen. Provincies die 'te egoistisch' waren of 'te veel kopzorgen opleverden' konden op die manier betrekkelijk eenvoudig tot de orde geroepen worden.

Sinds de publicatie van zijn pamflet heeft Gallo niet stilgezeten. Nog geen jaar na *Fier d'être français* verschijnt *L'Âme de la France*, een kloek, ruim zeshonderd pagina's tellend overzicht van de Franse geschiedenis, waarin hij probeert het spoor van de 'Franse ziel' te volgen. Naarmate hij het heden nadert, toont Gallo zich steeds somberder. Volgens Gallo is het grote probleem dat zowel de 'eenheid' van de natie als de 'ondeelbaarheid' van de Republiek de afgelopen jaren op alle mogelijke manieren zijn ondermijnd. Regio en provincie hebben overal terrein gewonnen ten koste van de natie: streektalen als het Bretons en het Aquitaans worden op openbare scholen als keuzevakken aangeboden; Corsicaanse nationalistische organisaties worden op regeringsniveau ontvangen, nota bene nadat nationalisten een prefect – symbool van het Franse staatsgezag – hebben vermoord. Minstens even zorgelijk acht hij het zogeheten 'communautarisme' (het denken in verschillende gemeenschappen en daarom misschien nog het beste vertaald als 'multiculturalisme') dat hij overal om zich heen ziet grijpen. Gallo wijst daarbij met name op de oprichting van de Franse Moslimraad en op de jonge traditie die wil dat de president van de Republiek aanzit bij het jaarlijkse diner van de Joodse koepelorganisatie CRIF. Socialisten en aanhangers van Chirac zouden tezamen het idee van een ondeelbare Republiek hebben opgeofferd ten behoeve van sociale (schijn)harmonie. Het land is veranderd in een onsamenhangend conglomeraat van elkaar naar het leven staande geloofsgemeenschappen, etniciteiten, regio's en politieke partijen. De Franse identiteit 'verkruimelde' terwijl Gallo er machteloos bij stond te kijken.

Waar is het misgegaan? Wie zijn de schuldigen? Volgens Gallo zijn dit 'de elites' die sinds de jaren dertig van de vorige eeuw niet meer geloven in Frankrijks vermogen om een moeilijke situatie te boven te komen. Een uitzondering maakt hij voor De Gaulle. Die ging pijnlijke beslissingen niet uit de weg, zoals hij bewees tijdens de Algerijnse onafhankelijksheidstrijd. Ook had hij zich doen kennen als een onvermoeibaar strijder voor de Franse soevereiniteit, zoals toen hij besloot Frankrijk uit de militaire commandostructuur van de NAVO terug te trekken (een beslissing die, zeer tot Gallo's spijt, begin 2009 door Sarkozy is teruggedraaid). De Gaulle wist: 'Frankrijk kan Frankrijk niet zijn zonder Grandeur.' Sinds zijn aftreden hadden de leiders het er volgens Gallo in dat opzicht lelijk bij laten zitten. Giscard d'Estaing wees erop dat 'de Fransen nog maar 1 procent van de wereldbevolking uitmaakten'. Mitterrand was weliswaar een goede vaderlander geweest, maar meende dat Frankrijks toekomst in Europa lag. Chirac twijfelde niet alleen aan de toekomst, maar zelfs aan het verleden en putte zich uit in spijtbetuigingen over de misdaden die Frankrijk in het verleden had begaan. Sinds het verscheiden van De Gaulle had Frankrijk zijn grens geopend voor de moderniteit, maar de vraag was wat dat had opgeleverd behalve een invasie van de Amerikaanse massacultuur: 'We zijn *mcdonaldisés, ketchupisés, cocalisés, staracademisés, rapisés*'. Desondanks gelooft Gallo niet in een onafwendbare neergang; er gloort nog steeds licht aan het einde van de tunnel. 'Het Franse volk blijft hopen dat de politieke en intellectuele elites een toekomstperspectief voor de natie zullen bieden.' De Franse ziel had een aantal lelijke krassen opgelopen, maar was nog niet helemaal vertrapt.

JAURÈS, BARRÈS EN 'HET WONDER FRANKRIJK'

Dat Gallo met *Fier d'être français* een sluimerende behoefte heeft blootgelegd, ontdekt Nicolas Sarkozy op 9 mei 2006 in de Zuid-Franse stad Nîmes. Op die dag houdt hij een toespraak met als titel 'Pour la France'. De rede is bedoeld om Dominique de Villepin vliegen af te vangen. Sarkozy gaat op dat moment gebukt onder een imago van 'Amerikanenvriend', terwijl zijn partijrivaal hoge ogen gooit met lyrische beschouwingen over de Franse *grandeur*. En zo zingt Sarkozy op zijn beurt de lof van de Franse taal, cultuur en geschiedenis. Hij zegt dat het land 'lijdt' en bezweert dat hij de Fransen hun gevoel voor nationale trots zal teruggeven. De toespraak in Nîmes, *à quatre mains* geschreven door Gallo en zijn collega-*académicien* Pierre Nora, blijkt een enorm succes, en Sarkozy heeft zijn campagnethema voor de presidentsverkiezingen van 2007 gevonden. Ook Ségolène Royal, zijn socialistische tegenstreefster, aarzelt niet om Frankrijk lof toe te zwaaien, al beperkt zij zich daarbij voornamelijk tot republikeinse symboliek. Zo heft ze bij aanvang van verkiezingsbijeenkomsten de *Marseillaise* aan en ook oppert ze dat de Fransen de *tricolore* eens wat vaker moeten laten wapperen. Dat ze zich desondanks niet aan Sarkozy kan meten, komt niet eens zozeer door het feit dat ze zich pas rijkelijk laat bewust wordt van het potentieel van het thema 'nationale identiteit'. Het komt vooral omdat 'de natie' traditioneel een thema is van rechts, zoals het thema van 'de Republiek' vanouds aan links toebehoort. De Republiek, met haar geloof in gelijkheid, *laïcité* en de kracht van de rede, biedt immers het ideale kader voor het emancipatorische project van de socialisten. Sarkozy, behendig politicus als hij is, presenteert zich echter als kampioen van beiden en bezingt de natie én de Republiek. Een fraai voorbeeld van hoe hij daarbij manoeuvreert, is de rede die hij houdt na de aanvaarding van de officiële kandidatuur van zijn partij. Voor 70.000 man glorieert hij met een liefdesverklaring aan Frankrijk, waarvoor Henri Guaino, zijn tekstschrijver en latere 'speciaal adviseur', alle registers van zijn lyriek heeft opengetrokken. Sarkozy spreekt over 'de mantel van kathedralen die Frankrijk bedekt' en laat mythische verzoeners als Saint Louis en Henri IV voorbijtrekken. Het Frankrijk dat Sarkozy zegt te willen leiden is het Frankrijk van *alle* Fransen: dat van Pascal én Voltaire, van katholieke kerk én *Encyclopédie*, van *Ancien Régime* én Revolutie.

'Het wonder van deze toespraak', commentarieert de historicus Gérard Noiriel, 'is dat Sarkozy een "definitie" van de nationale identiteit voorstelt waarin links en rechts met elkaar verzoend zijn. De Franse identiteit, dat is Barrès en Jaurès die vrienden zijn geworden.' De romantische schrijver Maurice Barrès (1862-1923) was niet alleen de leider van de anti-dreyfusards, maar ook de peetvader van het Franse nationalisme en dankte zijn bijnaam 'de nachtegaal van de slachting' aan zijn rol als oorlogshitser in de aanloop naar de Eerste Wereldoorlog. De politicus Jean Jaurès (1859-1914) was een pacifist, republikein, hartstochtelijk verdediger van Dreyfus en is een van de historische figuren van de Parti Socialiste. Dat Noiriel, specialist op het gebied van immigratiegeschiedenis en medeoprichter van een comité dat waakt over politieke instrumentalisering van de geschiedenis, juist deze twee figuren uit Sarkozy's redevoering licht, is niet toevallig. In een pamflet, *À quoi sert 'l'identité nationale'* (Waar 'nationale identiteit' toe dient, 2007), poogt hij te laten zien hoezeer Sarkozy's verkiezingscampagne op dit onwaarschijnlijke duo is geënt.

'Barrès', dat is 'het wonder Frankrijk', zoals Sarkozy het voorspiegelt tijdens een toespraak in Caen. Een 'ziel', een 'spiritueel principe', 'de fysieke grond, waarmee eenieder zich op mysterieuze wijze verbonden voelt, zozeer dat je beseft dat je iets van jezelf kwijtraakt wanneer die verbintenis wordt doorgesneden.' 'Jaurès', dat is de 'Republiek' met bijpassend discours van 'republikeinse waarden': vrijheid, gelijkheid, *laïcité*, rechtvaardigheid, het respect voor de ander, de Verlichting, 'het land van de mensenrechten dat nimmer voor de totalitaire verleiding is gezwicht'. Noiriel staat zeer argwanend tegenover politiek gebruik van een notie als 'nationale identiteit'. De Jodenvervolging tijdens het met de nazi's collaborende Vichy-regime (1940-1944) leerde hem dat die identiteit vaak in één adem wordt genoemd met de elementen die deze identiteit bedreigen, kortom: dat het uiteindelijke doel is om een 'wij' en een 'zij' te creëren. In het geval van Sarkozy is dat 'wij' volgens Noiriel 'de Fransen' en het 'zij' de immigranten die de waarden van de Republiek niet accepteren, zoals moslims die 'hun schapen slachten op het balkon', Afrikanen die 'polygamie bedrijven' of 'hun dochters besnijden' en dergelijke door Sarkozy aangehaalde voorbeelden.

Ook Royal hamert op de glorie van de natie. Noiriel wijst erop dat zij opereert volgens het procedé van het aan het begin van dit hoofdstuk reeds aangehaalde boekje *Le Tour de la France par deux enfants*, dat wil zeggen: ter meerdere glorie van het grote vaderland eert zij het 'petite patrie' waar zij zich bevindt. In Parijs bezingt ze de inname van de Bastille; op bezoek in Limoges eert zij het revolutionaire verleden van de stad. Maar 'nationale identiteit', stelt Noiriel, is bij Royal geen hoofdthema, waaruit nog maar eens blijkt dat de links-rechtsverdeling, zoals die tijdens de Dreyfus-affaire gestalte kreeg, nog steeds bestaat. Rechts heeft een voorkeur voor het 'nationale'; links voor het 'sociale'. Voor Noiriel, geen aanhanger van Sarkozy, het moge duidelijk zijn, een reden om te opteren voor het 'patriottisme à la Jaurès' van Royal versus het 'nationalisme à la Barrès' van de uiteindelijke overwinnaar. Volgens Noiriel gaat het er in een 'barrèsiaans' discours namelijk steeds om 'schuldigen' aan te wijzen, en dat ziet hij als voornaamste motivatie achter Sarkozy's aankondiging van de creatie van een ministerie van 'Integratie, immigratie en nationale identiteit' – op het hoogtepunt van de verkiezingscampagne. Deze actie schiet niet alleen Noiriel, maar ook gematigder intellectuelen in het verkeerde keelgat. In zijn pogingen kiezers bij de nationalistische politicus Jean-Marie Le Pen weg te lokken is Sarkozy een stap te ver gegaan, luidt de breed gedeelde overtuiging. 'De nationale identiteit is niet in wetten te vangen', schrijft Tzvetan Todorov in *Le Monde*. 'Zij wordt dagelijks gemaakt én onttakeld door hetgeen miljoenen mensen in dit land, Frankrijk, uitvoeren', aldus de van oorsprong Bulgaarse literatuurtheoreticus en essayist. 'Een debat uitlokken over de nationale identiteit is een prima idee', schrijft Nora in dezelfde krant, 'net zoals het een uitstekend idee is een debat over immigratie te beginnen. Maar de twee met elkaar verbinden is ofwel een ondoordacht idee, ofwel een flater, ofwel sluwe berekening.'

DOODSTRAF ALS TEKEN VAN VITALITEIT

Of zij nu te definiëren valt of niet, of politici haar moeten omarmen of er juist ver uit de buurt dienen te blijven, zeker is dus wel dat de notie van 'nationale identiteit' zich sinds een paar jaar in het brandpunt van het Franse publieke debat bevindt. Het gewraakte ministerie is er ondanks alle protesten uiteindelijk gewoon gekomen. Tot een nieuw 'Vichy' heeft het niet geleid, maar wat het nu precies toevoegt, is evenmin duidelijk geworden. In het voorjaar van 2009 drukt Sarkozy zijn minister (van 'immigratie, integratie, nationale identiteit en solidaire ontwikkeling') desalniettemin nog eens nadrukkelijk op het hart vooral door te gaan met het 'herbevestigen van wat het betekent om Frans te zijn'. Voor Sarkozy is dat dus kennelijk een uitgemaakte zaak, maar dat laat onverlet dat de eerder door Finkielkraut opgeworpen vraag daarmee nog steeds maar voor de helft beantwoord is: welke *vorm* hoort er bij die identiteit? Is dat de oude vertrouwde natiestaat of een postnationale samenleving?

De politiek filosoof Pierre Manent kiest voor het eerste. Tegelijk betoogt hij dat de toekomst van die natiestaat, althans in Europa, op het spel staat. Manent is niet bepaald wat in Frankrijk doorgaat voor een 'media-intellectueel'. Hij was een jaargenoot van Bernard-Henri Lévy op de Ecole normale supérieure, zo vertelt hij tijdens een lunch. Maar anders dan BHL prefereert hij het gedempte licht van zijn studeerkamer boven de felle studiolampen. Dat wil overigens geenszins zeggen dat kranten hem niet weten te vinden als het land in brand staat, zoals toen hij tijdens de *banlieue*-crisis in *Le Monde* fel van leer trok tegen het gedweep met 'republikeinse waarden'. Maar een 'intello'? Nee. Manent publiceerde gezaghebbende commentaren over Hobbes, Machiavelli en Tocqueville en met *La Raison des Nations* (Het gelijk der naties, 2006) zocht hij voor het eerst een breed publiek. Doelbewust, want hij maakt zich grote zorgen over uitholling van de klassieke natiestaat, niet alleen in Frankrijk maar ook elders in Europa. Anders dan degenen die de Europese eenwording tegenwoordig beschouwen als een middel om ons te verlossen van de natiestaat die ons zoveel rampspoed heeft gebracht (denk alleen al aan de 'dertigjarige oorlog' van 1914-1945), ziet Manent dat het een kapitale vergissing zou zijn ons daarvan te willen ontdoen. In de eerste plaats omdat de natiestaat voor het moderne Europa is wat de stadstaat voor het antieke Griekenland is geweest: hij biedt het politieke kader waarin wij samenleven. In de tweede plaats omdat van alle denkbare politieke samenlevingsvormen (Manent onderscheidt er vier: de stam, de stadstaat, het keizerrijk en de natie) alleen de stadstaat en de natiestaat (in zijn democratische periode) in staat zijn om de noties 'vrijheid' en 'beschaving' tot een betekenisvolle eenheid samen te smeden. Immers: er waren hoogontwikkelde keizerrijken, maar ze negeerden vrijheid; het stamverband koesterde een zekere primitieve vorm van vrijheid, maar beschaving was er ver te zoeken. Dat maakt de natiestaat dus tot iets om zuinig op te zijn.

Zijn de Europese naties zuinig op zichzelf? Nee, zegt Manent. Anders dan bijvoorbeeld de Verenigde Staten willen zij niet langer een complete natiestaat zijn. Manent wil dat laten zien aan de hand van een voorbeeld dat even verontrustend is als pregnant: de doodstraf. In Europa is de doodstraf inmiddels overal afgeschaft en Europeanen ontlenen er nogal eens hun morele superioriteit *vis-à-vis* Amerika aan. Dat is bedrieglijk, meent Manent, want juist door het handhaven van de doodstraf is dit land – anders dan de Europese landen – in *politieke* zin nog steeds een complete, dat wil zeggen: een soevereine staat. De beste karakterisering daarvan is nog steeds die van Thomas Hobbes. In *Leviathan* (1651) vraagt de Britse denker zich af hoe de mensen uit de hypothetische natuurstaat, in Hobbes' visie een 'oorlog van allen tegen allen', kunnen ontsnappen. Zij kunnen dat door hun individuele recht om te doden op te geven en dat onder te brengen in één overkoepelende institutie: de staat. In Hobbes' tijd werd die staat belichaamd door één man, de koning; later werd die rol overgenomen door een door het volk gekozen regering, en tot op de dag van vandaag is dat het geval. De soeverein garandeert de gelijkheid tussen de onderdanen en, minstens even belangrijk: hij maakt het mogelijk dat we de primitieve wereld van oog om oog, tand om tand kunnen verlaten.

Het ultieme argument tegen de doodstraf luidt dat de soeverein ons laat terugglijden in de natuurstaat. Als hij besluit het van de onderdanen verkregen recht te doden te gebruiken, 'verlaagt' hij zich immers tot het niveau van de moordenaar. En dat terwijl hij nu juist bedacht is als instrument om ons te bevrijden uit de natuurstaat. Maar, zo onderstreept Manent, ons daar helemaal uit bevrijden kan zelfs de staat niet. Is het feit dat er nog steeds moorden worden gepleegd daar niet het bewijs van? Het argument is dus niet *moreel*, maar *politiek*. Door de doodstraf op basis van gewetensbezwaren af te schaffen, treedt de staat uit de hobbesiaanse mal en snijdt hij zich af van zijn diepste bron van legitimiteit. Immers: Hoe kan een staat mij vragen mijn leven te riskeren om hem te verdedigen, nadat hij grondwettelijk heeft vastgelegd dat de ergste crimineel nimmer zijn leven riskeert in handen van die staat? Is herinvoering van de doodstraf een alternatief? 'Dat is wat ik beoog noch wat ik betoog', zegt Manent. 'Ik wilde laten zien dat de Europese natiestaten bezig zijn zichzelf van hun soevereiniteit te ontdoen, de afschaffing van de doodstraf is daarvan het meest fundamentele voorbeeld, maar er zijn er talrijke: uitdrukkingen van vitaliteit van de natie zijn schaars geworden in Europa.'

Sommigen opperen dat 'Europa' een nieuwe, nog te voltooien politieke vorm zou kunnen zijn die als alternatief voor de natiestaat zou kunnen dienen. Manent wuift die mogelijkheid weg: 'Europa als politieke vorm bestaat niet, simpelweg omdat er geen Europees volk bestaat dat zich als zodanig in de Europese instellingen herkent. 'Europa' beoogt een uitbreiding van individuele rechten, maar het bewerkstelligt juist het omgekeerde. Aan de ene kant is het Europese project een belofte, op zijn minst voor hen die in staat zijn gebruik te maken van de voordelen die het biedt, aan de andere kant, omdat het geen echte politieke gemeenschap is, voedt zij zich met de substantie van werkelijk bestaande gemeenschappen, de naties, die zij verzwakt. De natie bracht twee grote instituties voort: de soevereine staat en de vertegenwoordigende regering. Europa ondermijnt die allebei.' Met andere woorden: 'Europa' vampiriseert de oude naties, zelfs al gebeurt dat met de beste bedoelingen. 'In plaats van zich te verdiepen, blijft het zich uitstrekken. Dat is een onverantwoordelijke vlucht naar voren omdat het nodeloos energie en competenties absorbeert en het er tegelijk aan in de weg staat dat politiek Europa een vorm aanneemt waarin Europeanen zich herkennen en die als zodanig door niet-Europeanen wordt herkend.'

Manent maakt geen geheim van zijn pessimisme omtrent de toekomst van de Europese natiestaat. Al heeft hij zelf nooit geloofd dat 'Europa' daarvoor een substituut zou kunnen zijn, veel anderen in Frankrijk deden dat wel degelijk. Inmiddels lijkt ook bij hen het besef doorgedrongen dat dit niet opgaat, ondanks het feit dat op het Elysée naast de *tricolore* tegenwoordig de Europese sterren wapperen. Het maakt het in Frankrijk ruim aanwezige besef dat men iets is kwijtgeraakt of dat dreigt te doen er niet minder om. Volgens historicus Nora blijkt dat wel uit het eindeloos citeren uit *Qu'est-ce qu'une nation?* van Renan. 'Die had het over zaken als de vooroudercultus, de wil tot samenleven, het samen grote dingen te hebben ondernomen en dat te willen blijven doen.' Maar dat type van natie is definitief verleden tijd, onderstreept Nora. Het komt overeen met de traditionele opvatting van nationale identiteit. 'De daarbij veronderstelde band tussen heden en verleden is verbroken, ons veroordelend tot een leven in een permanent heden. Renans natie, somber en offervaardig, keert niet weer. De Fransen willen niet langer sterven voor hun vaderland; tegenwoordig zijn ze er verliefd op. En misschien is dat wel beter.'

HOOFDSTUK 5

Ecole normale sup':
Broedplaats van de Franse intelligentsia

'Nooit heb ik zoveel intelligente mensen op zo weinig vierkante meters bij elkaar gezien', schreef Raymond Aron in zijn memoires. Nog steeds speelt de beroemde Ecole normale supérieure een sleutelrol in het Franse intellectuele leven. Van Jean-Paul Sartre tot Bernard-Henri Lévy, nagenoeg alle bekende intellectuelen studeerden er. Een schaduwzijde is er ook. Er bestaat een lange traditie van ideologische ontsporingen en intellectuele goeroes. Zo groeide de school in de jaren zestig uit tot de wieg van het maoïsme à la française. Van een 'intellectuele Goelag' is tegenwoordig geen sprake meer. Radicaal gedacht wordt er nog wel.

'Het denken is gedwongen ondergronds te gaan, verbannen naar de schuilkelder – waar het heimelijk toch al was.' Alain Badiou laat zijn priemende ogen over de afgeladen zaal dwalen. Hier en daar wordt met instemming geknikt. Er bestaat geen misverstand over de vraag wie de onderdrukker is: dat is het kapitalisme, 'die vampier van het denken'. Zomaar een avond in de tot collegezaal getransformeerde bioscoop in de rue d'Ulm. De filosoof geeft er zijn maandelijkse seminar over Plato. Onbeweeglijk zit hij achter de tafel op het podium. Zijn afgewogen dictie, zijn armgebaren en zijn witte kleding geven hem iets van een profeet. Sinds de dood van Jacques Derrida geldt Badiou als de meest gelezen en becommentarieerde levende Franse filosoof ter wereld. Zijn oeuvre is divers. Naast filosofische traktaten publiceerde hij over wiskunde (zijn oorspronkelijke vakgebied) en schreef hij romans, theaterstukken en talloze politieke essays. Hij had een onverwachte bestseller met *De quoi Sarkozy est-il le nom?* – een virulente aanval op de Franse president Sarkozy, die hij op één lijn stelde met maarschalk Pétain. Zijn medestudenten van weleer werden brave *bourgeois* of zochten hun heil in hoger sferen, maar Badiou is het maoïsme uit zijn jeugd steeds trouw gebleven. Woorden als democratie of mensenrechten zet hij spottend tussen aanhalingstekens en zijn aanvallen op het 'capitalo-parlementarisme' zijn berucht. Graag laat hij zich vergelijken met Robespierre en Saint-Just, al benadrukt hij dat hij, anders dan deze revolutionairen, geen hoofden af heeft laten hakken. Na een carrière aan de universiteit Paris 8 – dat andere Franse bastion van radicaal denken – keerde hij als hoogleraar terug naar de eliteschool waar hij zelf ooit studeerde. En daar hangen zijn toehoorders aan zijn lippen. Naast de gebruikelijke studenten en oudere discipelen zijn er natuurlijk ook de Parijse dames van middelbare leeftijd, voor wie het volgen van een filosofiecollege aan de Ecole normale supérieure een respectabel tijdverdrijf is. Ze krijgen waar voor hun geld, al zal niet iedereen in de zaal iets kunnen met zinnen als *l'être connu; le connu dans l'être*. Met reuzenstappen springt Badiou heen en weer tussen heden en verleden en lokaliseert en passant de twee stelregels van de moderne tijd: 'leven zonder ideeën' en 'hopen dat er niets gebeurt'. Applaus klinkt na afloop; enkele studenten pakken behoedzaam hun opnameapparaatjes van het podium.

'EEN STAAT IN ONZE LITERAIRE STAAT'

Denkers als Badiou, Derrida of Sartre liggen zo diep verankerd in het Franse intellectuele landschap dat je bijna zou vergeten dat ze ooit ergens hebben gestudeerd. Alle drie deden ze dat aan de Ecole normale supérieure in de rue d'Ulm, ook wel *Ecole normale* genoemd, *Normale sup'*, of simpelweg *Ulm*. Net als bijna alle andere grote Franse denkers van de afgelopen eeuw: Aron, Foucault, Bourdieu. Nog steeds is dit de plaats waar de Franse intellectuele elite wordt uitgebroed. Natuurlijk zijn er uitzonderingen: Marcel Gauchet voltooide zijn opleiding aan de Universiteit van Caen; Alain Finkielkraut studeerde aan de Ecole normale supérieure in Fontenay-Saint-Cloud, maar verder doorliepen zo'n beetje alle spraakmakende denkers van dit moment de school: de meer academische filosofen als Pierre Manent, Etienne Balibar en Jacques Rancière, maar ook opiniemakers als Bernard-Henri Lévy, Nicolas Baverez en Jacques Julliard studeerden er. Te stellen dat de *Ecole normale* een sleutelrol speelt in het Franse intellectuele leven is dus beslist niet overdreven. 'Vier jaar van gelukzaligheid', noemde Jean-Paul Sartre de periode die hij er tussen 1924 en 1928 vertoefde. Hij sloot er hechte vriendschappen, onder andere met Raymond Aron. En hoewel deze vriendschap niet bestand zou blijken tegen de ideologische meningsverschillen die na de Tweede Wereldoorlog de kop opstaken, deed het voor geen van beiden afbreuk aan hun jaren op de *Ecole normale*. Het is niet eenvoudig elders op de wereld een equivalent te vinden voor de school. De Verenigde Staten hebben de Ivy League-universiteiten en Engeland heeft Oxford en Cambridge. Maar dat zijn enorme universiteiten met tienduizenden studenten. De *Ecole normale* laat nog geen vijfhonderd studenten per jaar toe. Vierhonderd hiervan richten zich op de exacte wetenschappen, want ook daarin excelleert de school, met acht Fields-medaillisten en evenzoveel Nobelprijzen.

Toch ontleent de school daar in Frankrijk zelf niet haar reputatie aan. Die dankt zij aan de filosofieafdeling en de *normaliens* die daar studeren. Hun arrogantie is legendarisch. Zo ervoeren de promovendi die na afloop van een lezing stonden na te praten aan de bar van een café in de boulevard Raspail. Achter in de zaak zat de filosoof die de lezing had gehouden met een groepje mensen aan een tafel. Bij het weggaan groette hij het groepje aan de bar hartelijk, maar dat gold niet voor de jongeman die zich in diens kielzog naar de uitgang bewoog. Een opgestoken hand liep hij eenvoudig voorbij. Julien, een van de promovendi, kwam met de verlossende verklaring. 'Oh, dat is een *normalien*'. Julien had simpelweg het ongeluk ingeschreven te staan op het verkeerde faculteit. Op *Sciences Po* in zijn geval, het toch niet onaanzienlijke instituut aan de rue Saint-Guillaume waar de Franse bestuurlijke en politieke elite wordt gekweekt. '*Normalien* kun je niet worden', wist Georges Pompidou, oud-president van Frankrijk en destijds zelf student aan de *Ecole normale* al: 'Je wordt geboren als *normalien*, zoals je als edelman geboren wordt. Het toelatingsexamen is de ridderslag.' 'Het is een vrijmetselarij', zo schreef Emile Zola ooit. '[De *normaliens*] vormen een staat in onze literaire staat.' Meer recent dreef Jean-Marie Colombani, voormalig directeur van *Le Monde*, op zijn manier de spot met de arrogantie van de *normaliens*. Tijdens een bespreking van het aanbod van het filmfestival van Cannes onderscheidde hij drie soorten films: de grote publieksfilm, de kleine art-housefilm en de film *Ecole normale sup'*, ofwel de volstrekt onbegrijpelijke film.

Een vermelding 'oud-leerling van de Ecole normale supérieure (Ulm)' op het cv opent in Frankrijk desondanks nog altijd vele deuren. Toch vreemd, zo'n status voor wat in essentie niet meer is dan een lerarenopleiding. Want dat was het idee achter de school toen die tijdens de Franse Revolutie werd opgericht. Ze kreeg als missie 'geschoolde burgers uit alle delen van de Republiek aan te trekken' en die, 'onder toeziend oog van de grootste specialisten', het leraarsvak bij te brengen. De emancipatie van het individu verloopt via de Rede, wisten de revolutionairen. Een elite van leraren, doorkneed in de Verlichtingsfilosofie, was nodig om hem die Rede bij te brengen. Officieel is dat nog steeds de missie van de school, maar te denken dat de *Ecole normale* slechts hooggekwalificeerde leraren opleidt, zou een misvatting zijn. De school bracht staatslieden en essayisten voort; schrijvers en topambtenaren. En hoogleraren, niet te vergeten. Op de Sorbonne is het aantal oud-*normaliens* niet te tellen, en nog altijd is ongeveer de helft van de professoren die aan het prestigieuze *Collège de France* doceren oud-leerling van de *Ecole normale*. Ook geldt de school als een mooie opstap naar de topambtenarenschool Ecole nationale d'administration (ENA) en vandaaruit naar de politiek. Twee oud-premiers, Laurent Fabius en Alain Juppé, volgden deze weg.

Status ontlenen de *normaliens* in de eerste plaats aan het wel zéér restrictieve toegangsbeleid. Om dit te kunnen begrijpen is enige achtergrondkennis van het Franse onderwijssysteem noodzakelijk. Een jonge Nederlander in het bezit van een vwodiploma kan grofweg kiezen tussen twee vormen van hoger onderwijs: de universiteit of het hbo. In Frankrijk zijn dat er *drie*: de universiteit, het hbo of een *Grande Ecole*. Er zijn zo'n 250 *Grandes Ecoles* in Frankrijk, waarvan de ingenieursschool Ecole Polytechnique en de Ecole normale supérieure gelden als de meest prestigieuze. Anders dan de universiteiten, waar iedereen terecht kan en die voortdurend gebrek aan middelen hebben, zijn de *Grandes Ecoles* goed geoutilleerd en in hoge mate selectief. Selectie vindt plaats via een toelatingsexamen (*concours*). Motivatie en creativiteit helpen daarbij niet; het gaat om parate kennis. Een grondige voorbereiding is vereist, en daar komen de zogeheten *classes préparatoires* ('prépa's') in beeld. In één of twee jaar worden studenten hier klaargestoomd voor het toelatingsexamen van een *Grande Ecole*. Het niveau van hoogaangeschreven *prépas* op *lycées* als het Louis le Grand of het Henri-IV ligt doorgaans zo hoog dat leerlingen, mochten ze onverhoopt falen, meestal zonder veel problemen kunnen instromen in het derde jaar van een gewone universiteit.

'THE MICK JAGGER OF THE BRAINY BUNCH'

Status ontlenen de *normaliens* aan hun toelating, maar vanzelfsprekend ook aan de opleiding zelf. Na het toelatingsexamen opent zich voor de leergierige student de poort naar het intellectuele Walhalla, of, zoals Bernard-Henri Lévy het ooit omschreef, naar het klooster van Thélème. Het is een metafoor die zo weinig mensen iets zegt dat eigenlijk alleen een *normalien* als Lévy zich ervan bedienen kan. Maar treffend is hij wel. Het klooster van Thélème speelt een rol in de *Gargantua* (1534) van Rabelais. Het is een sprookjesachtig kasteel waarin een groep streng geselecteerde jonge mensen, 'van beide geslachten, allen mooi, rijk en welgemanierd', zich onderwerpen aan de enige regel die er geldt: doen waar je zin in hebt. Het kloosterleven staat in het teken van morele verheffing en het bevredigen van de intellectuele nieuwsgierigheid. Hiertoe zijn er op alle muren fresco's aangebracht die de geschiedenis van de aarde en mensheid uitbeelden, en ook is er een bibliotheek, ontworpen door Gargantua zelf, met daarin werken van grote schrijvers en denkers in alle talen. Als de jongens van Thélème de privévertrekken van de meisjes bezoeken, gaan zij eerst langs de kapper en de masseur. Dat de studenten van de *Ecole normale* dat ook doen is hoogst onwaarschijnlijk, maar wat de rest betreft komt de school aardig in de buurt van de door Rabelais bedachte utopie. De binnenplaats oogt als een lusthof, in de gangen staan de marmeren bustes van Pascal en Diderot en de bibliotheek geldt als een van de best gesorteerde van de stad.

Materiële zorgen kennen de studenten niet: ze ontvangen een maandelijks salaris, ze worden gehuisvest en gevoed. In vier jaar tijd bereiden de *normaliens* zich hier, al dan niet onder begeleiding van een oud-student (*caïman*) voor op de *agrégation*, dat wordt gezien als het zwaarste examen van het land. De retorische vaardigheden en het abstractieniveau dat de studenten tijdens dit proces bereiken zijn indrukwekkend. Zo kun je Bernard-Henri Lévy een pretentieus en ijdel mannetje vinden, maar een hoogdravend betoog houden kan hij wel. Stel je de volgende scène voor: een paar jaar na zijn afstuderen heeft Lévy als jonge uitgever de Parijse intellectuele wereld opgeschud met zijn *nouveaux philosophes*. Twee Engelse journalisten willen het fijne weten van deze 'Mick Jagger of the brainy bunch' en begeven zich naar het appartement van de jonge filosoof in de sjieke Parijse wijk Passy. Hier treffen zij Lévy, nonchalant gekleed in een overhemd en een lamswollen trui te midden van witleren designmeubelen. Tegenover de twee volkomen beduusde Britten weet Lévy in anderhalve minuut tijd een verband te leggen tussen het denken van Tocqueville, de oorlog in Vietnam en de aanslagen in Algerije om in één moeite door af te rekenen met het marxisme, 'zonder de waarheid van Marx verder in twijfel te trekken, want daar gaat het hier nu verder niet om.' Het is de *normalien* in zijn meest karikaturale verschijningsvorm: zelfverzekerd, arrogant, niet wachtend tot zijn toehoorders begrijpend knikken, met één hand voor zich uit een vlammend betoog afratelend. Zijn blik op een denkbeeldig punt in de verte.

Er is nóg een overeenkomst met het klooster van Thélème. De muren van de *Ecole normale* zijn zo dik dat de werkelijkheid er niet altijd even goed in doordringt. Ongehinderd kunnen de *normaliens* zich zo overgeven aan een lange Franse traditie: de wereld in gedachten herscheppen; het mensdom niet zien zoals het is, maar zoals het zou moeten zijn. Voorbeelden hebben ze daarbij te over: de achttiende-eeuwse *philosophes* met hun 'literaire politiek', de jacobijnen met hun verlangen naar Sparta en Athene, de negentiende-eeuwse fourieristen met hun utopische woongemeenschappen, de anarchisten met hun politieloze staat, de bonte verzameling twintigste-eeuwse marxisten, enzovoort. De confrontatie met de harde werkelijkheid valt soms zwaar, zo merkte Aron. Tijdens een studiejaar in Keulen was hij getuige geweest van de opkomst van het virulente nationalisme van de nazi's. Toen hij tijdens de zomer van 1932 even terug in Parijs was regelde een vriend met politieke connecties een onderhoud met Joseph Paganon, de Franse onderminster van Buitenlandse Zaken. De conversatie die volgde is al vaak beschreven: Aron stak een betoog af over de zorgelijke situatie in Duitsland en het dreigende gevaar van oorlog. 'Briljant naar ik aanneem, in de beste retorische traditie.' Paganon, die steeds beleefd had geluisterd, antwoordde: 'U die zo begeesterd over Duitsland spreekt, wat zou u in mijn plaats doen?' Deze vraag verraste Aron volkomen. Het neokantianisme zoals dat begin twintigste eeuw op de *Ecole normale* in de mode was, maakte dat hij zich uitsluitend afvroeg wat moreel wenselijk was, niet wat politiek mogelijk. Aron stamelde maar wat. 'Wat kon ik zeggen!'

ALTHUSSERS ONZICHTBARE MARXISME

Van een minder bekend, maar minstens zo exemplarisch staaltje wereldvreemdheid getuigden de *normaliens* die de school bevolkten op het moment dat de meirevolte van 1968 uitbrak. Je zou verwachten dat zij hun opstandige broeders en zusters aan de Sorbonne van harte zouden steunen. Niets was minder waar. Dat bleek wel uit een '68-herdenkingsspecial van *Le Monde*, waarin een aantal prominente oud-*normaliens* in 2008 vertellen hoe zij '68 beleefden. Wat te denken van Jean-Claude Milner? Op de eerste avond van de studentenopstand begaf de linguïst zich naar de bibliotheek van de Sorbonne. Niet om de bezetting te steunen, maar om er rustig Jules Michelet te lezen. Later die avond ging hij een kijkje nemen in het Odeon-theater even verderop: 'Alle stoelen waren bezet; iedereen greep het woord. Het ging mijn bevattingsvermogen compleet te boven.' Milner herinnerde zich de woorden van Julien Beck, de propagandist van het *Living Theater* die sprak over 'het mooiste wat hij ooit in een theaterzaal aanschouwd had'. 'Tot op de dag van vandaag probeer ik te begrijpen wat hij daarmee precies bedoelde te zeggen.' Ook toen de protesten feller werden, veranderde er weinig in Milners gelaten houding. Samen met zijn mede-*normalien*, de latere psychoanalyticus en filosoof Jacques-Alain Miller, wijdde hij gewoontegetrouw zijn avonden aan de redactie van het tijdschrift *Cahiers marxistes-léninistes* – dit keer gewijd aan 'logische formalisatie'. 'Milner en ik hadden de hele avond doorgewerkt', aldus Miller. 'Toen we mijn huis uitkwamen staken we de rue de Buci over in het zesde arrondissement, een zakdoek voor ons gezicht, zonder verder aandacht te besteden aan het traangas dat in de straten hing. Ik was een jaar of 24, verachtte de wereld zoals die was, dus op dat moment begreep ik in het geheel niet wat er om me heen gebeurde.'

Wat had deze twee *normaliens* in hun greep? Waarom namen ze zelf geen deel aan de revolte, sloegen ze er zelfs in het geheel geen acht op? Voor Milner speelde mee dat hij net was teruggekeerd van een studieverblijf in de Verenigde Staten. Hier was hij getuige geweest van de massale demonstraties tegen de oorlog in Vietnam. In het Frankrijk van De Gaulle, daarvan was hij overtuigd, kon nooit iets dergelijks gebeuren. Belangrijker nog: als jonge maoïst geloofde hij zo sterk in de proletarische revolutie dat hij eenvoudigweg niet in staat was de 'rijkeluiskinderen' met hun libertaire leuzen serieus te nemen. 'Ik dacht volgens de meest gestaalde kaders van het marxistisch-leninisme en ik beleefde 1968 als tegengesteld aan alles wat ik dacht.'

Het waren de jaren dat Louis Althusser regeerde op de *Ecole normale*. Tegenwoordig is hij goeddeels vergeten, maar in de jaren zestig schitterde de ster van deze filosoof hoog aan de Parijse intellectuele hemel. De Britse historicus Tony Judt, als uitwisselingsstudent in de stad, noteerde: 'Iedereen die ik sprak had het over Althusser als een man van exceptionele kwaliteiten; als iemand die het denken van Marx in een ander daglicht had gesteld en het revolutionaire denken van belangrijke impulsen had voorzien. Zijn naam, zijn boeken, zijn ideeën waren alomtegenwoordig.' Voor de leerlingen van de *classes préparatoires* was het vooruitzicht Althussers colleges te kunnen volgen een extra motivering om nog eens een avond extra te studeren voor het toelatingsexamen. 'Terechtkomen op de Ecole normale supérieure beschouwden wij als een heilige plicht, want de *caïman* heette Louis Althusser', zo stelde de filosoof Guy Lardreau, destijds leerling aan het beroemde *lycée* Louis le Grand. 'Wat mijzelf betrof: de wereld met haar ongelijkheden en onrechtvaardigheid scheen mij walgelijk toe. Dus de meest natuurlijke weg voor een jongere als ik, was zorgen dat je gedurende vier jaar werd betaald om bij Althusser het marxisme te bestuderen.'

Althusser doceerde sinds 1949 aan de *Ecole normale*. In 1939 was hij voor het toelatingsexamen geslaagd, maar wegens de oorlogsmobilisatie en zijn krijgsgevangenschap zou hij de school pas in 1945 daadwerkelijk betreden. In het gevangenenkamp waar hij verbleef openbaarden zich de eerste tekenen van de geestesziekte die hem veertig jaar later tot een geruchtmakende moord zouden drijven. Althusser studeerde samen met met Michel Foucault, en als jonge docent nam hij Jacques Derrida onder zijn hoede. Het stalinisme vierde ondertussen hoogtij onder de Parijse intelligentsia. Ook op de *Ecole normale*. Leerlingen collecteerden bij de ingang voor een cadeau voor Stalins verjaardag en bij diens dood in 1953 tekenden 70 van de 200 leerlingen die de school op dat moment telde het condoleanceregister. Althusser zelf was lid van de Franse communistische partij (PCF), maar vond het aldaar beleden Sovjet-dogma verder niet bijzonder inspirerend. Hij kweet zich in deze periode vooral aan zijn rol als *directeur de conscience*, ofwel: de begeleiding van leerlingen op weg naar de *agrégation*. Hij gold als charismatisch en studenten prezen zijn menselijke warmte, zijn wijsheid en zijn conflictoplossende vermogens. Hij bewoonde een dienstwoning in het hoofdgebouw en in *L'Avenir dure longtemps* (1993), zijn postuum verschenen autobiografie, beschreef hij de school als een 'soort baarmoeder', waar hij zich beschermd wist tegen de buitenwereld. 'Ik hoefde er ook niet op uit om mensen te ontmoeten, aangezien iedereen bij mij langskwam, helemaal toen ik beroemd werd.'

Die roem kwam op een voorjaarsavond in 1961. Een jaar eerder was het eerste deel van Sartres *Critique de la raison dialectique* verschenen, en om dit luister bij te zetten hadden de leerlingen de auteur uitgenodigd om te komen spreken. Alleen: Sartre kwam niet opdagen. Voor een afgeladen zaal nam Althusser toen maar het woord en improviseerde een praatje waarin hij felle kritiek uitte op Sartres concept van 'praxis', dat volgens Althusser niets anders was dan een goedkope variant van Descartes' 'cogito'. Applaus was zijn deel. 'Op die avond wisselde een generatie *normaliens* van *maître à penser*', aldus de anonieme auteur van een van de gedenkboeken van de school. De rest van de Parijse intelligentsia volgde snel, vooral dankzij de twee boeken die hij in 1965 publiceerde: *Pour Marx* en *Lire le Capital*. Althusser koesterde de ambitie om van het marxisme een harde wetenschap te maken. Reeds bestaande varianten, en met name de economisch-deterministische, wees hij af omdat deze naar zijn idee te weinig oog hadden voor de structurerende rol van ideologie. De grote Marx zelf kon bij deze onderneming maar gedeeltelijk uitkomst bieden. Weliswaar had hij belangrijke onderdelen aangeleverd, een complete wetenschap was het marxisme nog niet. De oplossing vond Althusser in wat hij een 'symptomatische lezing' van Marx' oeuvre noemde. Als een volleerd theoloog viste hij uit diens werk wat hij eruit gebruiken kon, terwijl hij de witte gebieden – 'stiltes' – naar eigen inzicht inkleurde. Tegelijk gebruikmakend van de ideeën van Lacan, Claude Lévi-Strauss en Mao Zedong ontwierp Althusser zo een marxisme dat hij theoretisch rijker achtte dan het Sovjet-dogma uit de Sovjet-Unie en dat compromislozer was dan het door hem als 'soft' bestempelde Italiaanse marxisme.

Maar waarom eigenlijk een 'marxistische wetenschap', als er al zoveel voor handen was (geschiedfilosofie, dialectisch materialisme, economisch-determinisme)? De uitwisselingsstudent Tony Judt begreep er maar weinig van. Na een paar weken hield hij het seminar van Althusser voor gezien. Later, toen hij zich vanwege professionele redenen nog eens verdiepte in diens werk (en God dankte dat Althusser zo weinig had gepubliceerd) begon het Judt te dagen. 'Net zoals zovelen in de jaren zestig trachtte Althusser het marxisme te behoeden voor de aspecten die haar geloofwaardigheid ondermijnden: de trieste balans van het stalinisme en de onjuistheid van Marx' eigen revolutionaire voorspellingen.' Hierop bedacht Althusser volgens Judt een meesterlijke list: hij probeerde het marxisme *onzichtbaar* te maken. 'Althussers bijdrage bestond eruit dat hij het marxisme weghaalde uit het domein van de geschiedenis en de politiek en het zo onkwetsbaar maakte voor iedere kritiek van empirische aard.' Zijn studenten vonden het allemaal prachtig en aanbaden Althusser devoot. Intellectuelen zo divers als Etienne Balibar en Bernard-Henri Lévy noemen hem, hoewel zij zich beiden al lang geleden distantieerden van zijn denken, tot op de dag van vandaag hun *maître*. 'Bij Althusser vonden we het principe van een andere rol voor de intellectueel', schrijft Jacques Rancière, 'Géén cultuurconsumptie of ideologische reflectie, maar een actieve deelname, als *intellectuelen*, aan de transformatie van de wereld.'

VAN MARX NAAR MOHAMMED

In het najaar van 1968, dus ruim na de meirevolte eerder dat jaar, was voor de *althusseriens* van de *Ecole normale* eindelijk het moment gekomen om de echte revolutie te ontketenen. Samen met de resten van de Beweging van 22 maart (de groep studenten rond studentenleider Daniel Cohn-Bendit) richtten zij La Gauche prolétarienne op, een maoïstische splintergroep die, afgaande op de honderdvijftig boeken die er de afgelopen decennia in Frankrijk over verschenen, nog steeds bijzonder tot de verbeelding spreekt. Prominente niet-*normaliens* waren studentenleider Alain Geismar, de latere hoofdredacteur van dagblad *Libération* Serge July, alsook de filosoof en latere mensenrechtenactivist André Glucksmann. Maar de onbetwiste leider was de even mysterieuze als charismatische *normalien* Benny Lévy, alias 'Pierre Victor'. 'Zijn gelijkmatige stem, zonder stemverheffingen en versprekingen, zonder grapjes – dat sprak voor zich –, had een hypnotische kracht.' Aldus het gewezen lid van La Gauche prolétarienne Olivier Rollin in *Tigre en papier* (2002) – een autobiografisch verslag over zijn tijd als revolutionair. 'Zodra hij zweeg, scheen de moeilijkste situatie ons eenvoudig toe, lichtte het pad helder voor ons op en wist iedereen wat hem te doen stond.' Tijdens verhitte vergaderingen op de door La Gauche prolétarienne als hoofdkwartier toegeëigende *Ecole normale* maakte Benny Lévy onderscheid tussen zij die angst hebben voor de dood en zij die dat niet hebben. 'Ja, ik was een intellectuele terrorist', zou hij dertig jaar later toegeven. 'Ik was in staat het denken en handelen van degenen die naar mij luisterden te beïnvloeden.' Zijn toehoorders vreesden hem soms, niet vanwege zijn macht als 'chef', maar omdat zij beseften dat zij nimmer een argument zouden kunnen vinden dat tegen hem stand zou houden. Via hun krant *La Cause du Peuple* (door Sartre en Foucault demonstratief op straat uitgevent nadat hij door de regering was verboden), riepen de leden van La Gauche prolétarienne het beeld op van een prerevolutionaire situatie: 'Alle ontvoerde bazen, alle door straatstenen gevloerde agenten, alle in elkaar geslagen chefjes zullen u zeggen: "het gaat slecht, het geweld is overal." Wanneer alle bazen zijn ontvoerd, alle agenten in een hoek zijn gedreven en de rijken zijn geplunderd, zullen wij samen met eenieder die wordt uitgebuit zeggen: "het gaat juist heel goed!"'

Ondanks deze gewelddadige taal zou het van terroristische acties evenwel niet komen. De leden van La Gauche prolétarienne hielden het bij een incidentele knokpartij en infiltraties bij fabrieken. Hier werden sabotageacties gepleegd, maar er werd ook constructief gelobbyd voor betere arbeidsomstandigheden. Sommige acties hadden een ludiek karakter en konden rekenen op de nodige aandacht in de media, zoals de plundering van de Parijse delicatessenwinkel Fauchon, waar een traktaat werd achtergelaten dat de prijs van de ganzenlever vergeleek met het salaris van een arbeider aan de lopende band. Tot de gedroomde revolutie leidde het allemaal niet. Hogere lonen en langere pauzes, ja, dat wilden de arbeiders wel, maar revolutie? Na een tragisch incident op het terrein van de Renault-fabriek in 1973, waar één van de leden werd doodgeschoten door een bewaker, werd La Gauche prolétarienne door de eigen leden ontbonden.

De gedroomde revolutie bleek uiteindelijk alleen te bestaan in de door Althusser gevulde hoofden van de leiders van La Gauche prolétarienne. Met zijn theoretische abstracties en de rigiditeit van zijn doctrines had hij hen veroordeeld tot een intellectueel getto waar lang niet iedereen zou weten uit te breken. Sommigen maakten carrière in de burgermaatschappij, anderen weken uit naar het filosofiedepartement van Paris 8, nog weer anderen trokken zich gedesillusioneerd terug in religie en mystiek, zoals Christian Jambet en Guy Lardreau. In *l'Ange* (De Engel, 1976) bepleitten deze twee althusserianen een terugtrekking uit de wereld en opteerden voor het onthechte leven van de kerkvaders. Voor Lardreau bood het vroege christendom van Paulus uitkomst; Jambet vond uiteindelijk heil bij de islam. Wat Benny Lévy betrof: na enkele jaren als persoonlijk secretaris van Sartre te hebben gewerkt, stortte hij zich op de studie van de Thora en werd uiteindelijk rabbijn in Jeruzalem. Van Marx naar Mohammed dus, of in het geval van Benny Lévy, van Mao naar Mozes. Het Rode Boekje ruilden zij simpelweg in voor de Koran, de Bijbel of de Thora – een constatering die de criticus Jean Birnbaum zich deed afvragen of althusserianisme en monotheïsme uiteindelijk niet twee zijden van dezelfde medaille zijn.

Wat Althusser betrof: zijn ster doofde in de jaren zeventig snel. Zeker nadat de vertaling van Solzjenitsyns *De Goelag archipel* voor een schokgolf zorgde die een belangrijk deel van de Parijse intelligentsia van het marxisme wegdreef. Nog één keer zou hij alle aandacht op zich gevestigd weten. Op 16 november 1980 wurgde hij in een vlaag van verstandsverbijstering zijn vrouw. 'Het ene moment masseerde ik haar nek; het volgende moment lag ze dood op de vloer', zou hij tegen de politie zeggen.

Hij werd ontoerekeningsvatbaar verklaard en gedurende twee jaar verpleegd in een kliniek. Zijn laatste jaren sleet hij in een flatje in het noorden van Parijs, waar hij volgens de overlevering op straat passanten schrik aanjoeg door hen aan te klampen met de woorden: '*Je suis le grand Althusser!*' (Ik ben de grote Althusser!). Een 'intellectuele Goelag' is de *Ecole normale* tegenwoordig niet meer. Maar radicaal gedacht wordt er nog steeds. Dat bleek wel toen een groepje studenten twee bekende filosofen uitnodigde om te debatteren over de 'representatiecrisis in de Franse politiek'. De ene, de conservatief-liberale denker Pierre Manent, hield een betoog waarin hij de schuld gaf aan het systeem van *cohabitation*, waarbij een linkse president regeert met een rechtse regering of juist andersom en dat ertoe geleid zou hebben dat de kiezer zich niet langer meer in de politiek kon herkennen en onverschillig was geraakt. De andere, de marxistische filosoof Antonio Negri, verdeed weinig tijd met analyse. Hij riep alleen maar 'Revolutie! Revolutie!' En de zaal brulde met hem mee.

HOOFDSTUK 6

Marianne en de imam

In Frankrijk wordt de verhouding tussen kerk en staat geregeld door de zogeheten laïcité. Die laïcité is allerminst een universeel principe, maar blijkt het resultaat van lange strijd tussen de Republiek en de katholieke kerk. De islam stelt de Republiek nu voor een nieuwe uitdaging. Dat bleek wel tijdens de hoofddoekjesaffaire en de daaruit voortkomende wet die 'ostentatieve religieuze tekens' op school verbood. Zijn de islam en de laïcité wel verenigbaar?

Als president kun je niet iedereen behagen, maar tijdens een bezoek aan Rome maakt Nicolas Sarkozy het eind 2007 wel heel erg bont. Op één dag weet hij zowel katholieken als aanhangers van de *laïcité* de gordijnen in te jagen. Het begint al tijdens de audiëntie bij de Paus, waar Sarkozy het gewaagd heeft om de komiek Jean-Marie Bigard, berucht vanwege zijn vulgaire grappen, in zijn delegatie op te nemen. Op enkele centimeters afstand van de Heilige Vader presteert de president het vervolgens om zijn mobiele telefoon te raadplegen op nieuwe sms-berichten. Toch is het niet de audiëntie bij de Paus die voor de grootste verontwaardiging zal zorgen. Dat doet Sarkozy's toespraak in het Lateraans Paleis na afloop van zijn inhuldiging tot 'erekannunik' van Sint-Jan van Lateranen, later die dag. Sinds koning Louis XI (1423-1483) het vruchtgebruik van een klooster in het Zuid-Franse Clairac aan de pauselijke basiliek schonk, kunnen Franse staatshoofden aanspraak maken op de titel *chanoine d'honneur de Saint-Jean-de-Latran*. De Gaulle en Chirac togen naar de Pauselijke basilliek, Pompidou en Mitterrand bedankten voor de eer – zonder de titel overigens expliciet te weigeren.

Sarkozy grijpt de gelegenheid aan om het belang van religie in de moderne samenleving te benadrukken. En zo prijst hij in zijn dankwoord – onder luid applaus van de aanwezige kardinalen – 'de in essentie christelijke wortels' van Frankrijk en stelt dat de lekenmoraal het risico loopt 'uitgeput' te raken wanneer zij niet geschraagd wordt door een verlangen naar het oneindige. Ook stelt hij dat waar het aankomt op het leren onderscheiden tussen Goed en Kwaad 'de onderwijzer nimmer de priester of de pastoor vervangen kan'.

De president is nog niet uitgesproken of aan de overzijde van de Alpen komen de eerste woedende reacties los. Als Sarkozy het over de 'essentiële wortels' heeft, waarom spreekt hij dan niet óók over de Verlichting, wil politicus François Bayrou weten. En hoe komt de president erbij te denken dat de onderwijzer voor welke priester dan ook zou onderdoen? Van een antichristelijke agenda kan de leider van de *Mouvement Démocrate* (MoDem) moeilijk worden beticht: hij is een praktiserend katholiek. Maar in Rome is volgens Bayrou een grens overschreden: 'Kennelijk wil Sarkozy een zaak maken van een conflict waar we honderd jaar over hebben gedaan om het te apaiseren. Ik vraag hem: doe het niet, alsjeblieft, hou er mee op!' En dit is nog slechts een gematigde reactie. Het links-republikeinse kamp, van de senator Jean-Luc Mélenchon tot de tekenaars van het satirische weekblad *Charlie Hebdo*, onploft haast van verontwaardiging. Door zich zo expliciet uit te spreken voor het christelijk geloof neemt Sarkozy een loopje met de strikte neutraliteit die een Franse president ten opzichte van de religie in acht dient te nemen, luidt de aantijging. Die neutraliteit wordt beschouwd als een van de pijlers van de Republiek, en daaraan morrelen is in Frankrijk vragen om problemen.

De term die daar onherroepelijk mee is verbonden, is *laïcité*. Een equivalent in andere talen bestaat niet, en zelfs in Frankrijk is de betekenis verre van eenduidig. 'Halverwege de twintigste eeuw werden er meer dan vierhonderd verschillende betekenissen van het woord *laïcité* geteld', zegt de historicus René Rémond in zijn werkkamer van de Fondation d'études politiques, de stichting waarvan hij op dat moment president is en waar ook de eliteschool *Sciences Po* onderdeel van is. Rémond, die zelf uitvoerig over de *laïcité* publiceerde, houdt het op de erkenning van geloofsvrijheid, de pluraliteit van religie en de neutrale staat. 'Eind negentiende eeuw was *laïcité* een soort antireligie. Sindsdien heeft er zich een ontwikkeling voltrokken waarbij de mensen zich er rekenschap van geven dat zij *laïc* kunnen zijn zonder dat zij per se vijandig tegenover religie hoeven te staan.' Maar vraag het een overtuigd republikein als de filosoof Alain-Gérard Slama en hij zal antwoorden dat *laïcité* nog steeds in de eerste plaats 'strijd' betekent en in het bijzonder de strijd voor het ideaal van een samenleving van autonome en rationele individuen. De Franse *laïcité* is volgens Slama zo bijzonder omdat ze de gewetensvrijheid van alle burgers respecteert, te beginnen met die van de vrijdenkers. 'Oftewel: ze vraagt aan gelovigen degenen die niet gelovig zijn te respecteren.' Jean Baubérot, bezetter van de leerstoel 'geschiedenis en sociologie van de *laïcité*' aan de *Ecole pratique des hautes études* in Parijs wijst op zijn beurt op het verschil tussen secularisatie en *laïcité*. 'Secularisatie is een onpersoonlijk historisch proces waarin religie haar centrale plaats in het leven van de mensen verliest', zegt hij. '*Laicité* impliceert steeds een keuze. Het is de politiek die de plaats bepaalt die religie in de publieke ruimte mag innemen.'

De *laïcité* vond zijn oorsprong in de Franse Revolutie, kreeg gestalte dankzij het Concordaat van Napoleon (1801) en de onderwijswetten van Jules Ferry (1881-1882) en vond zijn meest definitieve vorm in wat in Frankrijk meestal simpelweg wordt aangeduid als 'de wet van 1905'. In deze wet wordt de scheiding tussen kerk en staat geregeld. Historici als Rémond onderstrepen het compromiskarakter ervan. 'Uit de twee belangrijkste artikelen, die vandaag de dag misschien nogal tegenstrijdig lijken, blijkt dat de wet een tekst van synthese is, een compromis.' Hij doelt op de eerste twee artikelen, waarvan het eerste de staat verplicht de vrijheid van godsdienstuitoefening te garanderen en het tweede haar verbiedt om enige cultus te subsidiëren. De wet kwam tot stand tegen de achtergrond van de felle strijd tussen de republikeinen en katholieken gedurende de negentiende eeuw. Dat de wet uiteindelijk een compromis en geen oorlogsverklaring aan de religie is, is hoofdzakelijk te danken aan de latere Nobelprijswinnaar Aristide Briand. Als het aan een verklaarde antiklerikaal als Emile Combes had gelegen, waren de Franse katholieken losgemaakt van Rome, iets wat de Paus nimmer geaccepteerd zou hebben. In zekere zin is de wet te vergelijken met de 'pacificatie' (1917) die in Nederland de 'schoolstrijd' tussen confessionelen en liberalen beslechtte. Toch is 'de wet van 1905' veel meer dan een wet, zo onderstreept Baubérot. 'Met de *Déclaration des droits de l'homme et du citoyen* uit 1789 geldt zij als een van de heilige teksten van de Republiek.'

Sarkozy had dan ook beter kunnen weten voordat hij met zijn toespraak in het Lateraans Paleis polemiek veroorzaakte. Zeker ook omdat het niet de eerste keer was dat hij de aanhangers van de *laïcité* tegen zich in het harnas joeg. Zo publiceerde Sarkozy in het najaar van 2004 – hij was toen nog minister – een boek met de titel *La République, les religions, l'espérance*. Daarin oppert hij onder andere dat de Franse staat gaat meebetalen aan de constructie van moskeeën. Volgens Sarkozy, ('er is geen katholiek die zoveel moskeeën heeft bezocht als ik') ontbreekt het de islam, tweede godsdienst van het land, aan fatsoenlijke gebedsruimtes. Een 'garage-islam' is bezig te ontstaan: potentiële broeinesten van moslimterrorisme. Als er al moskeeën worden gebouwd, dan gebeurt dat met hulp van geldschieters uit landen als Algerije en Saoedi-Arabië. Volgens Sarkozy verhindert dat de ontwikkeling van een door hem gewenste islam *à la française*: een 'liberale islam', noodzakelijk om de integratie van miljoenen moslims in de Republiek te bespoedigen. Daarom suggereert hij 'de wet uit 1905' eens opnieuw tegen het licht te houden. Dat lijkt ook niet meer dan *fair*: in haar huidige vorm biedt zij de katholieke kerk immers grote voordelen ten opzichte van de islam. Als gebaar naar de kerk verplichtte de Republiek zich tot het onderhoud van alle gebedshuizen die werden gebouwd vóór 1905: nagenoeg alle kerken, maar geen enkele moskee.

Gelijke monniken, gelijke kappen, zegt Sarkozy daarom, maar de inkt van zijn boek is nog niet droog of president Chirac spreekt al over de gewraakte wet als 'een zuil van de Republikeinse tempel' waar je maar beter af kunt blijven. Premier Jean-

Pierre Raffarin waarschuwt dat Sarkozy niet 'de tovenaarsleerling moet gaan uithangen door te sleutelen aan een wet die een element van stabiliteit is voor onze Republiek'. Dominique de Villepin, op dat moment minister van Binnenlandse Zaken, stelt op zijn beurt dat morrelen aan de wet overeenkomt met het 'openen van de doos van Pandora' en sluit iedere aanpassing op voorhand uit. Zeker, politieke rivaliteiten binnen het rechtse kamp spelen hier op de achtergrond een niet mis te verstane rol, maar dat Sarkozy's tegenstanders juist dit onderwerp uitkiezen als stok om hem mee te slaan is tegelijk ook veelzeggend: wie aan 'de wet uit 1905' komt, gaat in republikeins Frankrijk immers door voor een heiligschenner, aan wie zo snel mogelijk het zwijgen moet worden opgelegd. Uit de twee bovenstaande voorbeelden blijkt wel hoe gevoelig het onderwerp van de *laïcité* in Frankrijk ligt. Hoe valt die gevoeligheid te verklaren? Waarom staat het land op zijn kop wanneer de president voor een gehoor van een paar kardinalen het belang van priester onderstreept of wanneer een minister suggereert een honderd jaar oude wet aan te passen aan de eisen van huidige tijd?

DE OUDSTE DOCHTER VAN DE ISLAM

'Is het enorme aantal boeken dat over het onderwerp verschijnt een teken van vitaliteit of van crisis?' vraagt de godsdienstsocioloog Jean-Louis Schlegel zich af. Inderdaad was het publieke debat rond de *laïcité* in Frankrijk de afgelopen jaren bijzonder intens. Naast Sarkozy zijn het daarbij vooral de Franse moslims die voor polemiek zorgen. Dat bleek wel tijdens de 'hoofddoekjesaffaire', die uiteindelijk zou leiden tot een wet die de dracht van 'ostentatieve religieuze tekens' op de openbare school verbiedt. Zelden heeft een simpel lapje stof de gemoederen zo verhit. Schlegel aarzelt in dat verband niet te spreken over 'een vlaag van nationale hysterie'. Voorbij het hoofddoekje spitst het debat zich toe op de vraag in hoeverre de islam verenigbaar is met de *laïcité*. Met andere woorden: geldt voor de islam wat ooit voor het katholicisme gold en zal hij zich schikken in de plaats die hem door de Franse wetgever is toegewezen? Of is er iets bijzonders aan de hand met de islam dat zijn aanpassing compliceert?

Dat juist de islam in Frankrijk inzet van debat is, valt in de Europese context wel te begrijpen. Maar het verbaast ook aangezien Frankrijk zeer nauwe relaties onderhoudt met het Midden-Oosten en de islam reeds een eeuw op haar grondgebied weet. Daarom spreekt een jonge historicus als Justin Vaïsse over Frankrijk als *Fille aînée de l'islam en Europe* ('oudste dochter van de islam in Europa', vrij naar: *Fille aînée de l'Eglise*, zoals Frankrijk sinds de doop van koning Clovis aan het einde van de vijfde eeuw vaak wordt aangeduid). De meest in het oog springende herinnering aan die aanwezigheid is misschien wel de Grote Moskee van Parijs, tegenover de Jardin des Plantes in het vijfde arrondissement. Ze werd gebouwd – mét overheidsgeld nota bene – om de 70.000 soldaten met een islamitische achtergrond te eren die tijdens de Eerste Wereldoorlog aan Franse zijde hadden meegevochten tegen de Duitsers. Schattingen lopen sterk uiteen, maar de moslimgemeenschap in Frankrijk wordt geraamd op 4 à 6 miljoen mensen – zonder meer de grootste uit Europa. Het grootste deel daarvan heeft wortels in de Maghreb (Algerije, Tunesië en Marokko) of in voormalige West-Afrikaanse koloniën als Senegal en Mali. In vergelijking met andere Europese landen zijn Franse moslims relatief goed geïntegreerd. Uit een enquête van het Amerikaanse Pew Research Centre in 2006 bleek dat 46 procent van de moslims zich in de eerste plaats 'moslim' voelt en 42 procent in de eerste plaats 'Frans'. In Duitsland was dat 66 tegen 13 en in Engeland 81 tegen 7. Toen de nationalistische politicus Philippe de Villiers daar desondanks zijn zorgen over uitsprak en zich afvroeg waarom niet *alle* moslims in Frankrijk zich in de eerste plaats 'Frans' voelden, riposteerde de intellectueel en moslimprediker Tariq Ramadan gevat: 'Bij wie voelt u zich meer thuis, bij Jezus of bij Chirac?' 'Bij Jezus', moest de uitgesproken katholieke De Villiers toen schoorvoetend erkennen. Volgens de Pew-enquête zegt 78 procent van de Franse moslims de 'Franse manier van leven te willen adopteren'. In Engeland en Duitsland is dat respectievelijk 41 en 30 procent.

De referentie aan de islam in Frankrijk is betrekkelijk recent. De *beurgeoisie* die zich vanaf de jaren tachtig begon te manifesteren identificeerde zich met de antiracismebeweging, niet met de islam. *Beurgeoisie* is een samendrukking van de woorden *bourgeoisie* en *beur*, waarbij *beur* een verbastering is van het Franse woord voor Arabier: *Arabe*. Antiracisme was ook de inzet van de beroemde *Marche des beurs*, de duizend kilometer lange protesttocht die jongeren van Arabische origine in 1983 maakten van Marseille naar Parijs. Hun primaire doel was op gelijke hoogte mee te tellen binnen de Republiek, niet zozeer de erkenning van een moslimidentiteit. Pas in de loop van de jaren tachtig volgt de identificatie met de islam. Op 6 oktober 1989 komt het tot de eerste serieuze botsing met de Republiek. Op die dag weigert het schoolhoofd van een middelbare school in het stadje Creil de toegang aan drie gesluierde moslima's. Het is de eerste 'hoofddoekjesaffaire' en die zal, behalve aan vijftien jaar van emotioneel debat, tevens aan de basis staan van een neorepublikeinse beweging die in naam van een universalistisch gelijkheidsdenken de strijd aanbindt met het religieus en etnisch multiculturalisme. Wat moet er van de *laïcité* terechtkomen wanneer de school, die andere pijler van de Republiek en nota bene de plaats waar die *laïcité* wordt onderwezen – niet langer gevrijwaard is van religie, vragen intellectuelen als Alain Finkielkraut, die een belangrijke representant is van deze neorepublikeinse beweging, zich af. In de confrontatie met degenen die een inschikkelijk beleid bepleiten, zoals toenmalig presidentsvrouw Danielle Mitterrand of de socioloog Alain Touraine, aarzelen sommige van de neorepublikeinen niet te spreken over een 'München van de republikeinse school', voor hen een manier van zeggen dat de Franse wetgever juist veel harder moet optreden tegen de islam. Feministes als Elisabeth Badinter zien de hoofddoek als symbool van onderdrukking van de vrouw en daarmee als het ultieme bewijs dat de islam zich niet verdraagt met het gelijkheidsideaal van de Republiek. Van vrije keus van de meisjes kan volgens hen geen sprake zijn: als moslima's een hoofddoek dragen, dan komt dat omdat ze zijn bezweken onder sociale druk of omdat ze handelden vanuit een vals bewustzijn.

Afgaand op *Les filles voilées parlent* (De gesluierde meisjes spreken, 2008) blijkt dat overigens erg mee te vallen. In dit boek komen enkele tientallen moslima's aan het woord die weigerden om hun hoofddoek af te doen en bij allemaal was er sprake van een individuele en zeer zelfbewuste keuze.

De eerder reeds geciteerde Jean Baubérot wijst op de frappante overeenkomsten met het debat dat in 1905 woedde rond het priesterlijk habijt. Zo zagen radicale republikeinen het habijt als een teken van de onderworpenheid van de priester aan de kerkelijke hiërarchie. Ook zou het een aantasting zijn van de mannelijkheid aangezien het een jurk betrof. Ten slotte zou een meerderheid van de priesters hopen op een wet die het habijt zou verbieden zodat zij eindelijk zouden worden 'bevrijd' – exact dezelfde bezwaren en overwegingen die de tegenstanders van de hoofddoek aanvoerden. Zelf toont Baubérot zich gereserveerd. Dat het in het geval van de hoofddoek om de school gaat, de plek waar de republikeinse waarden worden onderwezen, maakt het hoofddoekjesdebat naar zijn idee wezenlijk anders dan de polemiek over het habijt. Tegelijk is hij van mening dat het niet aan de staat is om te bepalen wat een religieus geladen kledingstuk is en wat niet. 'De staat kruipt dan in de rol van theoloog, en de scheiding tussen kerk en staat is er juist om dat tegen te gaan', zegt hij.

De 'hoofddoekjesaffaire' leidt in 2003 tot de oprichting van de commissie-Stasi. Deze commissie van wijzen onder leiding van topambtenaar Bernard Stasi heeft de opdracht na te denken over de modernisering van de *laïcité*. De hierboven reeds geciteerde René Rémond maakte deel uit van deze commissie. Teleurgesteld kijkt hij erop terug: 'De commissie had een weidse visie op het probleem van de *laïcité*, maar de media waren slechts geïnteresseerd in de problematiek van de islam en in het bijzonder van de hoofddoek. De politiek is daarin meegegaan. Van de vijfentwintig aanbevelingen die wij hebben gedaan, werd slechts die over het verbod op ostentatieve religieuze tekens op scholen overgenomen. Maar die aanbevelingen, waaronder ook positieve, zoals de invoering van een joodse en een islamitische feestdag, vormden een bouwwerk waarvan de onderdelen met elkaar in verband stonden en dat zijn structuur zou verliezen wanneer je er één aspect zou uitlichten. Het is waar, de hoofddoek is nu uit het schoolsysteem verdwenen, maar of daarmee de integratieproblemen zijn opgelost? De *banlieue*-crisis van 2005 heeft duidelijk gemaakt dat die problemen alleen maar groter zijn geworden.' Het rapport van de commissie-Stasi zal in het voorjaar van 2004 leiden tot de wet die alle in het oog springende religieuze uitingen op de openbare school verbiedt. Daarmee lijkt het of de wet zich richt tegen de religie in het algemeen, maar het is voor iedereen duidelijk dat de wet bedoeld is om de islamitische hoofddoek van de openbare school te weren. Welke katholieke leerling draagt er immers het door de wet verboden 'grote houten kruis'? Het is waar dat de wet ook het joodse keppeltje verbiedt, maar joodse leerlingen die dat wensen te dragen zitten in de meeste gevallen toch al op een privéschool. Bijkomend slachtoffer van de hoofddoekjesrel zijn de kinderen van de paar duizend Franse sikhs die zijn aangewezen op het Franse openbare schoolsysteem. Zij mogen hun heilige tulband niet meer dragen en zien zich genoodzaakt uit wijken naar katholieke privéscholen (hetgeen uiteindelijk ook veel moslima's zullen doen). De Franse moslimgemeenschap kan zich dus niet aan de indruk ontrekken dat de wet speciaal ontworpen is om haar te treffen en toont zich gekwetst door dit willekeurig universalisme van de Republiek. In aanloop naar de inwerkingtreding van de wet trekken duizenden gehoofddoekte moslima's door de straten van Parijs. Moslimsorganisaties mobiliseren hun leden en kondigen aan dat meisjes die weigeren hun hoofddoek af te doen kunnen rekenen op financiële en juridische steun. Terwijl het nieuwe schooljaar dichterbij komt, loopt de spanning op.

En dan neemt de zaak een onvoorziene wending als twee Franse journalisten in Irak worden ontvoerd en hun ontvoerders (behorend tot een schimmige beweging die zich het 'Iraakse islamitische leger' noemt) de onmiddellijke intrekking van de gewraakte wet eisen. Alle Franse moslimorganisaties, inclusief de orthodoxe Union des organisations islamiques de France (UOIF), scharen zich onvoorwaardelijk achter de Republiek en verklaren onomwonden dat haar wetten gerespecteerd dienen te worden.

De eerste schooldag van 2004 blijkt dat ook een anticlimax: van de paar honderd meisjes die zich met hoofddoek aan de schoolpoort melden, doen het overgrote deel die alsnog af na de door de wet voorziene 'dialoog' met het schoolhoofd. Onderzoek wijst later uit dat slechts enkele tientallen meisjes dat jaar daadwerkelijk van school zijn gestuurd.

RAMADAN VERSUS SARKOZY

'Wat is er toch aan de hand dat de Republiek zich door een paar gesluierde meisjes zo op stang laat jagen?', vraagt de islamoloog Olivier Roy zich af. Een verdienste van deze aan de Ecole des hautes études en sciences sociales (EHESS) verbonden onderzoeker is dat hij een nuchtere blik op de islam paart aan een vlijmscherpe pen. Die kwaliteiten komen hem goed van pas in het debat over de vermeend gewelddadige aard van het islamitische geloof. Ging het met de hoofddoekjesaffaire vooral over de plaats van de islam in de publieke ruimte, sinds de aanslagen van 11 september 2001 is daar een theoretischer polemiek bijgekomen: die over de aard van de islam. Daarbij gaat het om de vraag wat de islam onderscheidt van het christendom en of er wellicht iets in zijn wezen is wat deze religie onverenigbaar maakt met de moderniteit. Munitie voor deze stelling wordt vooral geleverd door de Koran. 'Wie neemt in een dergelijke zee van bloed nog de moeite stil te staan bij die twee of drie zinnen waarin wordt opgeroepen tot menselijkheid en tolerantie', schrijft Michel Onfray over het heilige boek van de moslims. De filosoof en pleitbezorger van een 'nieuw atheïsme' publiceert in 2005 zijn *Traité d'athéologie,* waarin hij alle drie de monotheïstische religies op de korrel neemt, maar een aparte plaats reserveert voor de islam, die hij een optelsom noemt van al het slechte in het christen- en jodendom tezamen. Volgens Onfray bevat de Koran zoveel verzen die oproepen tot heilige oorlog tegen joden, christenen en heidenen dat een moslim zich wel gerechtvaardigd móet voelen om er een paar aan zijn zwaard te rijgen. Rémi Brague voegt daaraan toe dat het geweld in de

Koran verhoudingsgewijs nog groter is wanneer wordt onderscheiden naar beschrijvingen van geweld, oproepen tot geweld of verplichtingen daartoe. Het Oude Testament, zo stelt de aan de Sorbonne verbonden arabist en hoogleraar middeleeuwse filosofie, vertelt verhalen. Die verhalen zijn soms inderdaad zeer gruwelijk, maar ze blijven historisch, anders dan de Koran, die *oproept* tot geweld, waardoor het actueel blijft. Brague maakte dit punt tijdens een polemiek rond het boek *Les Religions meurtrières* (2006) van Elie Barnavi. De voormalig ambassadeur van Israël in Parijs stelt in dit boek dat je met een beetje kwade wil uit iedere Heilige Tekst een dodelijke ideologie kunt distilleren. Toch kan ook hij niet om de constatering heen dat de Koran daar aanzienlijk vaker voor wordt gebruikt dan de Bijbel of de Thora. Barnavi meent echter dat de Koran niet de 'bron' is van moslimgeweld en dat de oorzaken daarvan van 'historisch-politieke' aard zijn, al zegt hij er niet bij welke. Temeer omdat er – anders dan in Nederland, Spanje en Engeland – op Franse bodem geen islamitisch geïnspireerde aanslagen plaatsvonden, trekt de nogal theologische discussie over de vermeend gewelddadige aard van de islam in Frankrijk relatief weinig aandacht. Dat zou veranderen dankzij de affaire-Redeker.

Robert Redeker, leraar filosofie aan een *lycée* te Toulouse en lid van de redactieraad van het tijdschrift *Les Temps Modernes*, ziet zich in het najaar van 2006 genoodzaakt onder te duiken nadat hij per e-mail doodsbedreigingen heeft ontvangen naar aanleiding van een artikel in dagblad *Le Figaro*. Redeker trekt hier een parallel met 'het vuur van het communisme' en stelt dat de islam zaken als generositeit, openheid van geest, tolerantie, vrijheid van vrouwen en de democratische waarden voor 'tekenen van decadentie' houdt. De profeet Mohammed noemt hij een 'krijgsheer, plunderaar, slachter van Joden en polygamist'. Een en ander leidt tot een maandenlange polemiek met als inzet de grenzen van de vrijheid van meningsuiting (een paar maanden eerder al losgebarsten dankzij de publicatie van de beruchte cartoons van Mohammed in verschillende Franse kranten). Verdedigers van Redeker noemen hem een 'eigentijdse Rushdie' en vragen zich verontwaardigd af waarom Franse moslimorganisaties het niet voor hem opnemen. In een petitie hekelen Bernard-Henri Lévy, Pascal Bruckner en Alain Finkielkraut een 'klimaat van angst' dat zou hebben geleid tot het dringende advies van het stadhuis van Parijs om af te zien van het dragen van strings op het stadsstrand *Paris-Plage*. Daartegenover staat *Le Canard enchaîné*, die zich verbaast over het 'mistig redeneren' van Redeker en spreekt over een 'islamentabele affaire' (*une affaire islamentable*). 'Om de stap te zetten van simplisme naar complexiteit hebben we figuren nodig die zaken kunnen doordenken', schrijft het satirische weekblad. 'Hoe noem je die ook alweer? O ja, filosofen!' De al eerder genoemde Olivier Roy stelt zich op het standpunt dat de vrijheid van meningsuiting gerespecteerd moest worden, maar weigert zich kritiekloos achter Redeker te scharen. 'Er is geen democratie zonder recht op stommiteiten', zegt hij. 'Maar laat ons daar geen plicht van maken.' Redekers zaak is volgens Roy niet te vergelijken met die van Rushdie, en hij wijst erop dat geen enkele moslimleider heeft opgeroepen tot geweld of een fatwa heeft uitgesproken. De paar gekken die Redeker hebben bedreigd, dienen te worden opgespoord en vervolgd, maar, zo zegt hij: 'laten we niet tot een ideeënstrijd maken wat in essentie een veiligheidskwestie is.'

Ook bij de relevantie van die ideeënstrijd plaatst Roy overigens vraagtekens. De theologische discussie over de islam, hoewel intellectueel legitiem, gaat er volgens hem aan voorbij dat het principe van *laïcité* het de staat verbiedt het religieuze dogma in overweging te nemen. Als de staat ingrijpt bij godsdienstzaken, zoals bij de verplichte inentingen of bloedtransfusies bij kinderen van Jehova's getuigen, dan doet zij dat op gronden van openbare orde of de veiligheid van het kind. Het dogma zelf staat in dat geval niet ter discussie. Een vrouw kan de katholieke kerk niet aanklagen wegens discriminatie omdat zij niet mag studeren op een seminarium. Vanuit dat perspectief, zo beargumenteert Roy in *La laïcité face à l'islam* (2005), is de moslimleider die pleit voor een moratorium op de steniging van overspelige vrouwen paradoxaal genoeg trouwer aan het principe van *laïcité* dan de minister die eist dat deze leider een dergelijke monsterlijke straf onverkort veroordeelt. De eerste houdt zich immers aan de wetten van de Republiek terwijl de tweede binnen het religieuze dogma treedt.

De moslimleider in kwestie is Tariq Ramadan, de minister Nicolas Sarkozy. In 2003 kruisten hun wegen elkaar tijdens een legendarisch debat op de Franse televisie. Al sinds hij midden jaren negentig zijn debuut maakte in de Franse media, wordt de charismatische Ramadan beschuldigd van een *double discours*: hij zou zijn verhaal afstemmen op het publiek. Dat wil zeggen: fundamentalistisch of zelfs islamistisch van toon tegen zijn achterban, gematigd tegen de buitenwacht. Sarkozy, op het moment van het televisiedebat minister van Binnenlandse (en Godsdienst-)Zaken vraagt hem op de man af zich uit te spreken tegen het stenigen van vrouwen als straf voor overspel. Ramadan antwoordt dat hij voor een moratorium is: niet voor afschaffing dus, maar voor opschorting. Prachtige televisie is het nog steeds, inclusief de gespeelde verontwaardiging van Sarkozy's toenmalige vrouw Cécilia. Ramadans tegenstanders jubelden; het bewijs dat hij een gevaarlijke islamist was, was immers geleverd. Toch is het de vraag of dat werkelijk zo is.

Sarkozy stelde Ramadan voor een lastig dilemma. Aangenomen dat Ramadan steniging van vrouwen (of van wie dan ook) afwijst, dan blijft het probleem dat deze straf onderdeel is van de *hudud*. Dit zijn de lijfstraffen die expliciet door de Koran zijn voorgeschreven in het geval van een serie 'misdaden tegen God', zoals overspel of afvalligheid. Je daartegen uitspreken zou gelijkstaan aan ingaan tegen het directe woord van God, en voor een gelovige is zoiets niet aan de orde. De vondst van het moratorium stelt Ramadan in staat om trouw blijven aan de letter van de Koran terwijl hij om de consequenties ervan heen gaat. Oftewel: hij houdt de normen hoog, maar past ze niet toe. Volgens Roy houdt Ramadan er dan ook geen *double discours* op na en is hij ook geen gevaarlijke islamist. Wél bestempelt hij hem als een fundamentalist die de orthodoxie aan de moderne tijd probeert aan te passen. Is dat een probleem? Nee, zegt Roy, want Ramadan houdt staande dat 1) men Gods woord niet kan veranderen 2) dat de wet van de staat op aarde prevaleert. Een moratorium op lijfstraffen noemt hij daarom een mooi compromis. 'Een beetje hypocriet, maar welke religie is dat niet wanneer zij geconfronteerd wordt met de aardse politieke realiteit?' De hel is geduldig; wat telt is of de regels op het ondermaanse, in concreto de wetten van de Franse republiek, worden gerespecteerd. 'Het staat eenieder vrij te dromen over de revolutie, de afschaffing van het kapitalisme, de komst van de Mehdi of de terugkeer van Christus op aarde. Of men zich eigenaar van de wereld waant of slechts een simpele huurder, waar het om gaat is dat de voorwaarden van het contract gerespecteerd worden.'

ISLAM ALS SPIEGEL VAN FRANSE IDENTITEITSCRISIS

Roy ziet in uitlatingen als die van Ramadan een duidelijke aanwijzing dat de islam over het vermogen beschikt zich te voegen naar de principes van de *laïcité*. Sceptici als Brague denken daar heel anders over. Zij stellen dat dit uit de aard der zaak onmogelijk is, aangezien de islam geen scheiding maakt tussen het aardse en het goddelijke. Heel anders dan het christendom, dat dit blijkens de beroemde passage in Matteüs 22:15-34 ('Geeft de keizer wat des keizers is, en God wat des Godes is') wél expliciet doet. Hierin ziet Brague het bewijs dat de scheiding tussen kerk en staat, anders dan bij de islam, zit ingebakken in het christelijk dogma. Volgens Roy is dit heen en weer springen tussen religieuze praktijk en theologisch gevlooi nu juist wat het islamdebat in Frankrijk zo vertroebelt. De bewuste passage uit Matteüs belette de kerk in het verleden immers niet om stevig greep te houden op de wereldlijke macht. De eenheid van troon en altaar onder het *Ancien régime* is daar nog wel het meest sprekende voorbeeld van. Zelfs het dogma is niet consequent, want in zijn *Syllabus* (1864) sprak Paus Pius IX zich in niet mis te verstane bewoordingen uit tegen de scheiding van kerk en staat. Wat volgens Roy uiteindelijk telt is niet het dogma, maar de praktijk, en als voorbeeld wijst hij op de gebeurtenis die bekendheid verwierf als 'de toost van Algiers'.

Aanvankelijk bleef de Paus hardnekkig weigeren de Derde Republiek (1870-1940) te erkennen, omdat hij bleef hopen op de restauratie van de monarchie. Pas in 1890 veranderde dat, toen de kardinaal van Algiers vanuit Rome de opdracht kreeg een dronk uit te brengen op de Republiek. Was die toost gemeend? Ongetwijfeld niet, meent Roy. Het was de uitdrukking van het besef dat de monarchistische zaak in Frankrijk verloren was en de Republiek een *fait accompli*. De geschiedenis van de *laïcité* is de geschiedenis van de strijd tussen de katholieke kerk en de Republiek, en als er iets is wat die geschiedenis laat zien, is dat volgens Roy dat het niet zozeer religieuze dogma's als wel historische en politieke omstandigheden zijn die de doorslag geven.

Ondertussen blijft het natuurlijk wel de vraag waarom er zoveel te doen is over de islam. Mensen als Roy en Baubérot menen dat hij fungeert als een spiegel van heel andere problemen. Niet alleen in Frankrijk, maar ook elders in Europa. Een aanwijzing daarvoor zien zij in het gegeven dat het in ieder Europees land andere aspecten van de islam zijn die op verzet stuiten. Zo is het hoofddoekje in Engeland geen enkel probleem, terwijl de Britten, anders dan in Fransen en de Nederlanders, juist grote moeite hebben met de praktijk van halal slachten. Ofwel: Frankrijk beleeft net als veel andere Europese landen zijn identiteitscrisis door het prisma van de islam. Als er in Frankrijk heftig wordt gereageerd wanneer het aankomt op de *laïcité*, dan speelt ook mee dat die *laïcité*, en meer in het bijzonder de 'wet van 1905', in de eerder geciteerde woorden van Chirac, 'een steunpilaar is van de republikeinse tempel'. Die metafoor maakt duidelijk hoezeer het republicanisme in Frankrijk op zichzelf ook een religie, of op zijn minst een cultus is. En uit alles blijkt dat die cultus in het nauw zit, want zij wordt van onderaf uitgehold door de crisis op de school, de falende integratie en de problemen in de *banlieue*. Bij gebrek aan iets anders klampt men zich er in misschien wel des te steviger aan vast, hetgeen de heftige reactie zou kunnen verklaren wanneer iets of iemand het waagt aan haar dogma's te morrelen, zij het de islam, zij het Sarkozy.

Volgens Roy biedt de parallel met de katholieke kerk reden tot optimisme omtrent de uiteindelijke aanpassing van de islam aan de principes van de laïcité. Toen de Paus de scheiding tussen kerk en staat, zoals vastgelegd in 'de wet van 1905', in 1924 uiteindelijk accepteerde, deed hij dat immers niet omdat hij zo enthousiast was over de daarin vervatte bepalingen, maar omdat hij besefte dat de wet niet teruggedraaid zou worden. Dat besef maakt volgens Roy dat de vraag waarop het islamdebat zich in Frankrijk toespitst, namelijk die van de verenigbaarheid tussen islam en de *laïcité*, uiteindelijk niet echt ter zake doet. Tegelijk is het volgens hem belangrijk om te onderscheiden tussen enerzijds immigratie, dat wil zeggen vreemde culturen, gedoemd om binnen een paar generaties te verdwijnen en anderzijds fundamentalisme, dat een poging behelst een 'zuivere religie' te definiëren, en zich dus juist los wil maken van culturele connotaties. Dat is volgens Roy ook wat de critici van het multiculturalisme niet onder ogen willen zien: de moordenaar van Theo van Gogh was weliswaar een Nederlander van Marokkaanse origine, maar hij beriep zich niet op de traditioneel Marokkaanse cultuur, maar op een globale islam, op een ingebeelde gemeenschap dus, die zich niet in het kader van de natiestaat laat vangen. Tegelijk vormen lang niet alle vormen van het islamitisch fundamentalisme een bedreiging, dus zegt Roy: laat de geschiedenis zijn werk doen en ook de islam zal zich vroeg of laat voegen naar de Republiek, net zoals de katholieke kerk dat eerder ook deed. Een mooi voorbeeld noemt hij de reeds genoemde orthodoxe moslimorganisatie UOIF, die ten tijde van de ontvoering van de twee Franse journalisten zijn verzet tegen de gewraakte 'hoofddoekjeswet' opgaf en moslims opriep de wetten van de Republiek te respecteren. Onder verwijzing naar Paus Johannes XXIII, die tijdens het Tweede Vaticaans Concilie van 1962 het katholicisme aanpaste aan de eisen van de moderne tijd, zegt Roy: 'De *aggiornamento* [de modernisering] ging niet aan *laïcité* vooraf, maar volgde erop. Zo zal het ook gaan voor de islam.'

HOOFDSTUK 7

Het raadsel van het Franse trotskisme

Ooit was de Parti communiste français de grootste politieke partij van Frankrijk. Bij de laatste presidentsverkiezingen dook de PCF voor het eerst onder de 2 procent. Toch wil dat allerminst zeggen dat het communisme in Frankrijk dood is. Integendeel: de trotskisten namen de fakkel over en zijn populair als nooit tevoren.

'Kwaadaardige verzinsels van Franse journalisten', zegt woordvoerder Jean-Marc Bouvet van de Parti Communiste Français, terwijl hij voorgaat op de wenteltrap van 'le Colonel Fabien', het hoofdkwartier van de partij in het hooggelegen negentiende arrondissement in Parijs. Zijn werkkamer biedt een adembenemend uitzicht over de hoofdstad. En dit is nog maar de tweede etage. Na de voor de PCF desastreus verlopen presidentsverkiezingen van 2007 duiken in Franse kranten berichten op dat de partij overweegt om delen van haar kunstcollectie te verkopen. *Le Monde* citeert zelfs een niet met naam genoemde directeur van een 'groot museum voor moderne kunst', die beweert dat hij door de partij gevraagd is een taxatierapport te maken voor een houtskooltekening van Pablo Picasso en een tapijt van Fernand Léger. Beide kunstenaars waren in de jaren veertig lid van de PCF en met name Léger schonk royaal aan de partij. Om welke Picasso het precies ging bleef onduidelijk, al wordt gespeculeerd over een tekening van Stalin. In het geval van de Léger kan het maar om één werk gaan: *Liberté j'écris ton nom* – het tapijt met de beroemde dichtregel van Paul Eluard dat sinds jaar en dag in de bestuurskame op de vijfde etage van het partijhoofdkwartier hangt. Verder werden genoemd: een glas-in-loodraam, eveneens van Léger, alsook de L.H.O.O.Q. (spreek uit: *Elle a chaud au cul*, 'ze is botergeil') van Marcel Duchamp, beter bekend als de 'Mona Lisa met snor' en voor een periode van 99 jaar uitgeleend aan het Centre Pompidou. Volgens *Le Figaro* zou zelfs het hoofdkwartier aan het Place du Colonel Fabien eraan moeten geloven. Deze betonnen kolos groeide in de loop der jaren uit tot hét symbool van de PCF en werd eind jaren zestig ontworpen door Oscar Niemeyer, de Braziliaanse architect (en communist) die ook de stad Brasilia ontwierp. De rechtse krant merkt schamper op dat het gebouw met zijn futuristische witte vergaderzaal mooi als vijfsterrenhotel of conferentiecentrum dienst zal kunnen doen.

De geruchten over de verkopen zijn niet ongegrond. Tijdens de laatste presidentsverkiezingen haalde partij-secretaris Marie-George Buffet een dermate lage score (1,92 procent) dat het er even op leek dat de partij zou kunnen fluiten naar de 5 miljoen euro partijsubsidie van de Franse staat, geld dat tijdens de campagne reeds was uitgegeven. Gelukkig voor de communisten blijkt de schade tijdens de daaropvolgende parlementsverkiezingen mee te vallen. Gevreesd wordt voor het ergste, maar dankzij een lijstverbinding met de Groenen weet de PCF zijn status van 'parlementaire groep' te behouden en stelt daarmee de staatsfinanciering veilig. Vooralsnog blijft het tapijt van Léger dus gewoon in de bestuurskamer hangen. Niet dat de partij er verder zo florissant voorstaat, erkent Bouvet, 'maar anders dan sommige Franse kranten hun lezers willen laten geloven, is van een acute financiële crisis beslist geen sprake.' Van acute politieke crisis des te meer. De PCF belandde met de score van 1,92 procent op een historisch dieptepunt in zijn bestaan. Dat de partij op weg lijkt naar haar politieke einde, verbaast op zichzelf natuurlijk niet. Elders in West-Europa smolten de communistische partijen na de implosie van de USSR immers als sneeuw voor de zon. Wat verbaast is dus eerder dat een partij als de PCF het in Frankrijk nog zo lang uithoudt. Want zelfs al heeft de partij amper nog stemmers, nog steeds heeft ze ruim 140.000 leden. Op lokaal niveau is ze nog steeds een factor van betekenis: in de *banlieue rouge* – de voorsteden ten noordwesten van Parijs waar voordat de immigranten er hun plek innamen de arbeidersklasse was gehuisvest – bevinden zich nog steeds talrijke communistische burgemeesters. Maar eerlijk is eerlijk, de PCF is geen schim van de partij die ze ooit was.

'Tussen ons en de communisten zit niets', stelde André Malraux, de latere cultuurminister van Charles de Gaulle, eind jaren veertig van de vorige eeuw. Om een idee te geven van de politieke slagkracht waar de Parti Communiste op dat moment over beschikte: met 28,6 procent van de stemmen was zij niet alleen de grootste partij van Frankrijk, maar was met bijna een miljoen leden op alle mogelijke manieren in de Franse samenleving verankerd: communistische organisaties als het *Front national de l'indépendance de la France* of de *Union des femmes françaises* hadden gigantische ledentallen, de aan de PCF gelieerde vakbond *Confédération générale du travail* (CGT) vertegenwoordigde een kwart van alle werknemers en oplages van communistische kranten als *l'Humanité* en *Ce Soir* schommelden rond de 500.000 exemplaren per dag. Haar naoorlogse populariteit dankte de PCF in eerste plaats aan haar rol in het verzet tegen de Duitse bezetter. Net als de gaullisten cultiveerde 'de partij van de 75.000 gefusilleerden' met zorg haar eigen verzetsmythe en profiteerde tegelijk volop van de status die de Sovjet-Unie dankzij de overwinning tegen Hitler in Frankrijk genoot. 'Stalingrad waste al mijn eerdere twijfels weg', schreef Edgar Morin in zijn *Autocritique* (1959), het boek waarmee de socioloog afrekende met zijn communistische verleden. 'De wreedheden, de processen en de liquidaties vonden hun rechtvaardiging in die slag. "Stalin is geniaal", zei [de schrijver] Romain Rolland tegen mij, en ik kon niet anders dan hem gelijk geven.' Zoals bekend was Morin niet de enige Franse intellectueel die zich tot het communisme voelde aangetrokken; een hele generatie intellectuelen, schrijvers en kunstenaars bekeerde zich in de jaren veertig, niet zelden vanwege de ijzeren discipline die de communisten aan de dag legden en hun afwijzen van twijfel en nuance.

Veel meer nog dan bij zusterpartijen elders in Europa was en bleef het ideologisch ijkpunt de Sovjet-Unie van Jozef Stalin. Niet zelden toonde de PCF zich stalinistischer dan het Politbureau zelf, zoals in 1956, toen partijleider Maurice Thorez naar Moskou afreisde om daar de Russische kameraden uit te leggen dat Chroesjtsjov een grote fout had gemaakt met de publicatie van het geheime rapport dat Stalins misdaden veroordeelde. Pas in 1977 zou de partijleiding toegeven dat zij destijds kennis had van het rapport. Opmerkelijk genoeg was de PCF tegelijk ook de meest patriottistische van alle communistische partijen. Thorez, sinds 1930 de onbetwiste leider van de partij, had al vroeg begrepen dat de PCF het in Frankrijk nooit ver zou brengen als zij *alleen* een pro-Sovjetpartij zou blijven. En zo stortte de partij zich na de Tweede Wereldoorlog op de wederopbouw. 'Opdat Frankrijk zal voortleven en opnieuw het huis van de Verlichting zal zijn', zoals partijideoloog Jacques Duclos het verwoordde. De leiders van de PCF wisten een amalgaam te smeden tussen het communisme en de liefde voor de Franse natie, dat tot op de dag van vandaag zijn hoogtepunt bereikt in het jaarlijkse *Fête de l'Humanité* in de Parijse voorstad Saint-Denis. 'Dit is de *joie de vivre* van de communisten', schreef een verslaggever van *l'Humanité* in de jaren vijftig. 'De liefde voor de rijkdom en de pracht die Frankrijk voortbrengt en die ik ontdek bij iedere stap die ik zet: schilderwerk uit Aubusson, snijgerei uit Nogent, porselein uit Sèvres...' Zestig jaar later blijkt er in dat opzicht weinig veranderd: nog steeds eet je er vette ganzenlever uit de Landes en drink je er kostelijke rode wijn uit de Bordeauxstreek.

Dat een dergelijke samensmelting tussen grensoverschrijdend ideaal en liefde voor Frankrijk kon plaatsvinden, kwam natuurlijk ook doordat het communisme correspondeert met wezenstrekken van de Franse samenleving. Neem het 'marxistisch leerboek' uit 1936, dat alvast de grote lijnen schetste van het beloofde land: 'Er zal geen politie zijn, geen gevangenissen, *zeker* geen kerken, geen legers... Zieken zullen er misschien zijn, maar die genezen we.' Dergelijk visies borduurden voort op negentiende-eeuwse utopismen die zich beriepen op de Franse Revolutie en haar belofte van een nieuwe wereld en een nieuwe mens. Het was het vernuft van leiders als Thorez om dit revolutionaire magma te kneden en te instrumentaliseren.

VOEDINGSBODEM VOOR HET COMMUNISME

'Iedere politieke partij is een reflectie van het land waarin zij ontstaat', meent ook Marc Lazar, hoogleraar aan *Sciences Po* in zijn werkkamer aan de boulevard Saint-Germain. De auteur van *Le communisme, une passion française* (2002), was in een ver verleden zelf trotskist en geldt als toonaangevend specialist op het gebied van de geschiedenis van het Franse en Italiaanse communisme. 'Bij de enorme vlucht die de PCF na de Tweede Wereldoorlog nam, moet je daarom niet alleen denken aan de geest van verzet en revolutie, maar zeker ook aan de glorificatie van de staat, de problematische verhouding tussen werkgevers en werknemers, de lange traditie van antiamerikanisme, een uit de Verlichting stammend geloof in Rede en wetenschap, een slecht ontwikkeld politiek-liberalisme en natuurlijk een algemeen wantrouwen jegens de markt en geld verdienen. Dat alles schiep in Frankrijk een vruchtbare bodem voor het communisme.'

Die voedingsbodem is er volgens Lazar nog steeds. Het feit dat de PCF eind jaren zeventig in een vrije val raakte, heeft naar zijn idee dan ook meer te maken met de ineenschrompeling van de sociale basis van het communisme. De mijnen in Pas-de-Calais gingen dicht; de metaalindustrie in de *banlieue rouge* van Parijs sloot haar poorten. Daarbij sprak het idee van broederschap in een individualistischer samenleving minder aan. De studentenrevolte van 1968 blies de revolutionaire beweging weliswaar nieuw leven in, maar de rebellerende studenten keerden zich óók tegen het autoritarisme van de PCF en zochten hun heil in nieuwe protest- en emancipatiebewegingen. Van snel aan kracht winnende bewegingen als het feminisme, SOS-racisme of het ecologisme moest de partij weinig hebben, en met steeds kleurlozer leiders werd de PCF ten slotte een karikatuur van zichzelf: vóór de arbeider terwijl de arbeidersklasse ineenschrompelde, vóór de zware industrie terwijl de dienstensector groeide, vóór collectivisatie terwijl de individualisering om zich heen greep, vóór autoriteit en traditionele waarden terwijl vrouwen hun seksuele bevrijding vierden. Vanaf het moment dat de

Parti Socialiste van François Mitterrand de PCF bij de parlementsverkiezingen van 1978 voor het eerst voorbijstreefde, is het dan ook niet meer goedgekomen met de eens zo machtige partij. Maar het stervensproces verloopt traag: in de jaren negentig schommelt de PCF nog steeds rond de 10 procent. Pas tijdens de presidentsverkiezingen van 2002 duikt ze onder de 5 procent en met Marie-George Buffet in 2007 dus zelfs onder de 2 procent. Politiek gezien lijkt de PCF daarmee op weg naar het einde.

Toch is daar nog lang niet alles mee gezegd. Want al is de PCF misschien geen politieke factor meer, indirect drukt ze nog steeds een belangrijk stempel op de Franse politieke cultuur. Als een vakbond als SUD-Rail een maand lang het Gare Saint-Lazare (250.000 reizigers per dag) blokkeert met prikacties, zoals begin 2009 gebeurde, dan is dat een direct uitvloeisel van de compromisloosheid die de oude communistische partij eigen was. Wanneer stakende arbeiders in Marseille weken achtereen de haven platleggen, zoals met vaste regelmaat gebeurt, duikt steevast de term *jusqu'au-boutisme* op, in goed Nederlands: de bereidheid om tot het gaatje te gaan. Als de gelegenheidsboer/milieuactivist en voormalig presidentskandidaat José Bové een restaurant van McDonalds in puin legt, zoals hij deed in het Zuid-Franse stadje Millau, dan is dat een afspiegeling van de campagne die de communisten in de jaren vijftig voerden tegen Coca-Cola. En hoewel Frankrijk tegenwoordig minder afkerig is van marktdenken of Hollywoodfilms, blijft de gehechtheid aan sociale verworvenheden groot. Dat bleek wel tijdens de campagne tegen de 'ultraliberale' Europese Grondwet, of anders bij de massale straatprotesten tegen het jongerencontract CPE. En meer recent tijdens de openbaarvervoersstakingen na Sarkozy's aankondiging dat hij het pensioenstelsel voor ambtenaren zou gaan uniformiseren. Ondertussen houden vakbonden als Force Ouvrière en de CGT, organisaties als ATTAC en bladen als *Le Monde Diplomatique* het antikapitalisme en antiamerikanisme in Frankrijk levend. Talrijke Franse intellectuelen die zich op het communisme zijn blijven beroepen leveren daarvoor de intellectuele munitie. De bekendste onder hen is zonder twijfel de filosoof Alain Badiou, wiens *L'Hypothèse communiste* in 2009 uitgroeide tot een bestseller.

En dan zijn er natuurlijk nog de trotskistische partijen. Zij werden niet meegesleept in de val van de Parti Communiste. Integendeel: bij de presidentsverkiezingen van 2002 behaalden ze tezamen een achtenswaardige score van 10,5 procent (3 miljoen kiezers). Lutte Ouvrière (LO) verloor in 2007 weliswaar flink, maar de Nouveau Parti Anticapitaliste (NPA, begin 2009 voortgekomen uit de Ligue communiste revolutionnaire, LCR) beleeft sinds de verkiezing van Sarkozy een opmerkelijke bloei. De jonge leider en parttime postbode Olivier Besancenot is prominent aanwezig in de media en ontbreekt op geen enkele manifestatie. Opiniepeiling na opiniepeiling komt hij uit de bus als de succesvolste tegenspeler van president Sarkozy – daarmee opmerkelijk genoeg alle leiders van de Parti Socialiste achter zich latend. Het standhouden van de trotskisten fascineert, maar roept ook vragen op. Is er geen sprake van optisch bedrog? Is het electorale succes van de trotskisten te danken aan een proteststem die ook andere vormen kan aannemen of verraadt het een reële voorkeur voor revolutionair links, en zo ja, hoe valt die te verklaren? Vragen die niet zo gemakkelijk te beantwoorden zijn. De filosoof Philippe Raynaud, auteur van *L'extrême gauche plurielle* (2006) noemt de opbloei van het trotskisme zelfs 'het voornaamste Franse mysterie'.

DE GEHEIMZINNIGE WERELD VAN DE TROTSKISTEN

'Zet twee trotskisten bij elkaar en je hebt een ideologische scheuring', zo luidt een in Frankrijk bekend gezegde. In die zin heeft het trotskisme wel iets weg van de protestantse kerk met haar talrijke sektes. Ieder voor zich menen de trotskistische partijen het zuivere communisme te incarneren en allemaal werken ze aan de opbouw van een revolutionaire partij. Op nationaal niveau slaagden ze er tot dusver niet in om een gemeenschappelijk front te vormen. Wat hen desondanks verbindt is de referentie naar dezelfde stichter: de Russische theoreticus en revolutionair

Leon Trotski (1879-1940). Trotski raakte in het midden van de jaren twintig in conflict met Stalin over de koers van de Russische Revolutie. Hij ontvluchtte de Sovjet-Unie en kwam na omzwervingen terecht in Mexico, waar hij uiteindelijk werd vermoord door een geheim agent van Stalin. Met Frankrijk onderhield Trotski warme banden. Hij bezocht het land bij minstens vier verschillende gelegenheden, richtte er in 1938 de Vierde Internationale op en onderhield contacten met tal van kunstenaars en intellectuelen. In het bijzonder met André Breton, de geestelijk vader van het surrealisme, met wie hij een 'Manifest voor een onafhankelijke revolutionaire kunst' opstelde. Zoals alle communisten was Trotski uit op de vernietiging van het kapitalisme via een arbeidersrevolutie, maar onderscheidend voor het trotskisme is de kritiek op de vorm die die revolutie in de USSR onder Stalins leiding had genomen. Zo remde de snel groeiende bureaucratie volgens Trotksi het revolutionaire momentum af en dreef zij een wig tussen het volk en het revolutionaire leiderschap. Kort gezegd staat het trotskisme dus voor een kritiek op het kapitalisme, terwijl zij tegelijkertijd pleit voor een terugkeer naar de ideeën van Lenin en het 'zuivere' bolsjewisme van 1917. Een dergelijke positie bracht de trotskisten in Frankrijk noodzakelijkerwijs in conflict met de stalinistische Parti Communiste. 'We moeten de trotskisten voor eens en altijd ontmaskeren', schreef Paul Vaillant-Couturier, medeoprichter van de PCF, in 1937 in *l'Humanité*. 'We moeten laten zien wat Trotski's mannen in werkelijkheid zijn: contrarevolutionairen, collaborateurs, ellendige huurlingen van het fascisme.' Een brochure uit de jaren vijftig spreekt van '*hitlériens*, saboteurs, provocateurs die samenzweren met de politie en die ten doel hebben de arbeidersbeweging te verzwakken'.

Maar was de rivaliteit tussen trotskisten en de PCF er een op leven en dood, de onderlinge verhoudingen tussen de trotskistische partijen blijken niet veel beter. 'Alle kwaadsprekerij die de trotskistische partijen over elkaar te berde brengen is waar', zo luidt een ander gezegde over het trotskisme. Volgens Franse kenners biedt dat gegeven een uitstekend handvat om de afzonderlijke partijen te doorgronden. Zo'n leidraad is geen overbodige luxe in de van de door geruchten en geheimen vergeven wereld van het Franse trotskisme. Zo spreken ze bij de Nouveau Parti Anticapitaliste over Lutte Ouvrière als een ultrabolsjewistische sekte waar het conceptueel niveau van de doctrines het nulpunt nadert. Vast staat dat de toespraken van Arlette Laguiller, 35 jaar lang het engelachtige gezicht van die partij, weinig variatie bieden. Na het eeuwige 'Arbeidsters, arbeiders, kameraden en vrienden' volgt steevast een beschouwing over het trieste lot van de Franse arbeider en de zorgwekkende staat van de overheidsdiensten, gevolgd door een aanval op het grootkapitaal en de gevestigde politieke klasse. Of beter: volgde. Na zes keer voor Lutte Ouvrière als presidentskandidaat uitgekomen te zijn, gaf ze in 2008 het stokje over aan Nathalie Arthaud. Tot haar pensioen in 2002 werkte de populaire Laguiller als typiste bij de bank Crédit Lyonnais. Ze bewoont een tweekamerflatje van de sociale woningbouw aan de rand van Parijs. Maar is het wat het lijkt? Laguiller, zo beweren boze tongen, en nu Arthaud, zou nooit anders dan de buiksprekerspop geweest zijn van de geheimzinnige Robert Barcia, alias 'Hardy'. Barcia is de oprichter van Lutte Ouvrière, maar óók grootaandeelhouder bij een aantal bedrijven in de farmaceutische industrie, hetgeen zowel binnen als buiten de revolutionaire beweging tot de nodige opgetrokken wenkbrauwen heeft geleid. Talrijke geruchten doen over de partij de ronde. Zo zou het kaderleden verboden zijn te trouwen of kinderen te krijgen; dat zou de aandacht immers maar afleiden van de revolutie. De partijleiding heeft dergelijke beschuldigingen steeds ontkend, maar zij heeft de waas van geheimzinnigheid rond de organisatie van de partij nooit kunnen wegnemen. Toen Laguiller in aanloop naar de presidentsverkiezingen van 2002 in peilingen op tien procent van de stemmen stond, deed Daniel Cohn-Bendit in dagblad *Libération* een poging het gordijn achter haar weg te trekken. 'Als iemand zich kandidaat zou stellen achter wie men de Jehova's of Scientology zou vermoeden, zou het land te klein zijn', zo stelde de voormalige *soixante-huitard* en huidige Europarlementariër van De Groenen. 'Echter, niets over Lutte Ouvrière, niets over de ultrageheimzinnige methodes of het sektarisme, niets over de goeroe "Hardy" die urenlang spreekt te midden van een religieuze stilte.'

Minstens zo geheimzinnig is de Parti Ouvrier Indépendant (POI). Officieel beroept deze in 2008 uit de Parti des Travailleurs (PT) voortgekomen partij zich niet op Trotski, maar de zogeheten *lambertistes*, die de belangrijkste stroming uitmaken, doen dit nadrukkelijk wel. Hun naamgever, Pierre Boussel, alias 'Lambert', overleed begin 2008 en zou, vanaf het moment dat hij in 1934 uit de communistische jongerenbeweging werd gegooid wegens 'trotskisme', uitgroeien tot een van de grote figuren binnen de internationale trotskistische beweging. Boussel is ook degene die Trotski's leer van het *entrisme* het meest consequent heeft toegepast. In de jaren dertig riep Trotski zijn volgelingen in Frankrijk op hun partijen te ontbinden en te infiltreren binnen de sociaaldemocratische beweging. Daar was het hun taak om de kaderleden het revolutionaire pad op te dirigeren. Electoraal gezien zal de Parti Ouvrier Indépendant nooit veel voorstellen, zoals ook haar voorganger nooit meer dan 120.000 stemmen wist te halen. Maar het is een publiek geheim dat lambertisten nog veel invloed hebben in de vakbonden, met name binnen de vakbond Force Ouvrière. Over de invloed binnen de Franse vrijmetselarij gaan al jaren hardnekkige geruchten. In 2001 werd bekend dat de socialist Lionel Jospin, op dat moment premier van Frankrijk en presidentskandidaat van de Parti Socialiste, een lambertist geweest was. Dat feit was op zichzelf niet eens zo verbazingwekkend: talrijke vooraanstaande figuren uit de wereld van media en politiek hebben trotskistische verledens (PS-prominent Henri Weber, alias 'Tisserand' bijvoorbeeld, of Edwy Plenel, alias 'Krasny' – tot 2005 hoofdredacteur van *Le Monde* en tegenwoordig eigenaar van de linkse internetkrant *MediaPart*). Het probleem met Jospin, alias 'Michel', was dat onduidelijk was *hoelang* hij als trotskist actief geweest was. Was dat slechts tijdens zijn periode op de *Ecole nationale d'administration*, in de vroege jaren zestig, of veel langer, tot 1986 wellicht, toen hij al vijf jaar partijvoorzitter van de Parti Socaliste was? 'Waarom weigert Lionel Jospin de exacte datum te geven van zijn breuk met het trotskisme?', wilde weekblad

L'Express van Boussel weten. 'Is het omdat hij niet wil erkennen dat hij nog steeds trotskist was terwijl hij leiding gaf aan de Parti Socialiste?' 'Waarom stelt u mij die vraag? Hij heeft betrekking op Jospin', was het enige wat Boussel antwoordde.

Putten ze zich bij Lutte Ouvrière uit in arbeidersretoriek, de lambertisten schermen graag met hun *catastrophisme*: de idee dat het kapitalisme de gehele menselijke beschaving in de afgrond zal storten als het geen halt toegeroepen wordt. In die context menen zij dat de beste voorbereiding op de revolutie de verdediging van de status quo is. Het is de revolutie of niets en lambertisten kijken misprijzend neer op de 'neprevolutionairen' die menen dat er in afwachting van die revolutie al een hele hoop te verbeteren valt. Andersglobalisten zijn zulke neprevolutionairen volgens hen, maar ook bij de Nouveau Parti Anticapitaliste wemelt het ervan. Dat zijn geen echte trotskisten, zeggen de lambertisten dan, maar een verzameling *petits-bourgeois*: een progressieve club die zich voor een revolutionaire beweging houdt. Voor dit 'verwijt' valt wel iets te zeggen, in de zin dat leden van de NPA over het algemeen behoren tot de hoogopgeleide culturele avant-garde en haar ethos sterk verschilt van het traditionele arbeiderscommunisme. Neem oprichter Alain Krivine. Met zijn spijkerpakken en zijn vriendelijke voorkomen heeft hij meer van een goedaardige hippie dan van een gestaalde bolsjewiek. Nog geen jaar na de bezetting van de Sorbonne in 1968 richtte hij de Ligue Communiste op, in 1973 gevolgd door de Ligue Communiste Révolutionnaire, de partij waaruit begin 2009 de NPA zou ontstaan. Krivine en zijn medestanders hebben altijd een open oog gehad voor zaken die niet direct te maken hadden met de arbeidersbeweging, zoals feminisme, homorechten, ecologisme en meer recent anti-islamofobie en andersglobalisme.

Het einddoel is evenwel nog steeds de revolutie, en samenwerking met de Parti Socialiste is dan ook onbespreekbaar. Maar de notie van de dictatuur van het proletariaat werd afgeschaft en ook heiligt het doel niet langer de middelen. 'De revolutie betekent niet direct dat er op iedere straathoek bloedplassen zullen liggen', verzekerde Olivier Besancenot tegen televisiepresentator Michel Drucker op de rode pluche bank van *Vivement diman-*

che. In dit drie uur durende televisieprogramma op France 2 wordt iedere week een Bekende Fransman in het zonnetje gezet. In de weken die aan Besancenots optreden voorafgingen liep de discussie binnen de NPA hoog op. Zou het de zaak van de revolutie ten goede komen als de leider voor het oog van de kleine burgerman zijn zielenroerselen op tafel zou komen leggen? Krivine sloot de discussie in partijblad *Rouge* kort en stelde dat de NPA wel kon inpakken als hij 'de burgerlijke televisie' zou gaan boycotten. Krivine zou ook wel gek zijn. 'Trotskostar' Besancenot is de grote troefkaart van de NPA. Een gewone en sympathiek ogende jongen die het opneemt tegen de duistere krachten van het grootkapitaal: hij is de revolutie met een menselijk gezicht. Besancenot begrijpt als geen ander dat je in het huidige mediatijdperk niet de morsige revolutionair moet gaan uithangen en bewaakt zorgvuldig zijn vlotte imago. Weliswaar herkent de oudere generatie zich amper meer in wat zij smalend *le Parti d'Olivier* noemen, maar jongeren stromen toe. De NPA is hip en kan ook bij gematigd links op veel sympathie rekenen. En zo zag het zondagmiddagpubliek Besancenot dus dollen met zijn maten van de posterijen en rapper JoeyStarr. Voetballer Franck Ribéry stuurde een aardige videoboodschap en twee fabrieksarbeidsters kwamen vertellen over hun recente ontslag.

NIET DOOR DE REALITEIT AANGETAST

De val van Berlijnse Muur en het uiteenvallen van de gehate Sovjet-Unie werd in het trotskistische kamp destijds met gejuich begroet. Tegelijk bestond de vrees om in de val te worden meegesleept. Zo bleek wel uit de sneer die Daniel Bensaïd, de huisideoloog van de NPA, destijds maakte naar een partijgenoot die opperde de champagne te ontkurken: 'Champagne, zeker! Maar vergeet ook de Alka-Seltzer niet', beet Bensaïd hem onder verwijzing naar het bekende bruistablet toe. Bij de partijleiding drong pas geleidelijk door dat de ineenstorting van de USSR juist kansen bood. De communistische idee zou naarmate de tijd verstreek immers onherroepelijk ontkoppeld raken van het Sovjetdrama. En dat zou de zaak van de trotskisten in Frankrijk om uiteenlopende redenen ten goede komen. 'Iedere democratische samenleving draagt de elementen van haar eigen radicalisering in zich', stelde François Furet, de in 1997 overleden historicus van de Franse Revolutie en tevens auteur van *Le passé d'une illusion*, een omvangrijke beschouwing over de communistische idee in de twintigste eeuw. Immers: democratie draagt de belofte van gelijkheid in zich terwijl de samenleving en de natuur voortdurend ongelijkheden produceren. Voor Frankrijk komt daar nog eens bij dat verzet, protest en revolutie een belangrijke component vormen van het beeld dat het land van zichzelf koestert, of, zoals de historicus Krzysztof Pomian het zei: 'Frankrijk is waarschijnlijk het enige land ter wereld waar de revolutie – en dan bedoel ik een revolutie die de *Glorious Revolution* van de Engelsen noch de revolutie van de Amerikanen is, maar een revolutie met een Terreur – onderdeel vormt van de nationale identiteit.' Franse Trotskisten zetten zich af tegen de Sovjet-Unie en maakten nooit 'vuile handen' door zoals de PCF in de regering plaats te nemen, en zijn dus nimmer door de realiteit aangetast, zoals Pomian het treffend formuleerde. Op de tweede etage van de 'Colonel Fabien' bevestigt partijwoordvoerder Jean-Marc Bouvet ondertussen onbedoeld de stelling dat het communisme zich niet laat hervormen zonder zichzelf om zeep te helpen. Hij probeert duidelijk te maken hoezeer de PCF de afgelopen jaren een moderne linkse partij geworden is. Revolutionair links? Dat zijn de anderen, de trotskisten van Lutte Ouvrière en de Nouveau Parti Anticapitaliste voorop. 'De PCF wil juist niet alleen maar tegen zijn, maar constructief bijdragen.' De doctrine van de dictatuur van het proletariaat werd al in de jaren zeventig verlaten; nu blijkt zelfs de revolutie afgezworen: de markt en het kapitalisme worden niet langer radicaal verworpen, al zegt Bouvet ze wel van 'een menselijk gezicht' te willen voorzien. Maar wie wil dat niet? Ook president Sarkozy heeft het immers voortdurend over het 'moraliseren van het kapitalisme.'

Voor de trotskisten ligt het anders, hun utopie is immers nog steeds volledig intact en volgens historicus Lazar maakt juist dat hen tot de meest vanzelfsprekende erfgenamen van de Franse revolutionaire traditie. 'Hervormers worden in Frankrijk gewantrouwd, dat zijn de potentiële verraders van de revolutionaire idee. Compromissen gelden als uitingen van zwakte. Het gaat steeds om onversneden doctrines, *pur et dur* en die vorm van impregnatie van de radicaliteit... dat komt allemaal door de PCF. We zeggen nu "antiglobalisering" in plaats van "anti-imperialisme" en we hebben het niet meer over de "sociaalfascisten", zoals in de jaren dertig, maar over "sociaalliberalen" als een te verachten soort.' Dat is nog wel de meest opvallende paradox. De machtige PCF werd door de trotskisten ten diepste gehaat, maar volgens Lazar effende de partij juist het pad voor het huidige succes van de trotskisten: 'De voedingsbodem voor radicalisme is altijd al in de Franse samenleving aanwezig geweest, maar de PCF heeft deze geïrrigeerd, gecultiveerd en gestructureerd. Daarmee heeft ze Frankrijk gebrandmerkt, want de oude schema's werken nog steeds door, zelfs als de partij die ze heeft gesmeed bezig is te verdwijnen.'

HOOFDSTUK 8

De herinneringsoorlogen

Sinds een jaar of tien woeden er in Frankrijk de zogeheten herinneringsoorlogen, met als inzet de slavernij en het koloniale verleden. Volgens sommigen staan deze conflicten een roman national, *een verhaal dat de Fransen rond een gemeenschappelijke visie op het verleden verenigt, in de weg. Is het nog wel mogelijk om de Fransen te verenigen rond een gedeeld verhaal over de natie? In ieder geval niet voordat de Moeder der herinneringsoorlogen is beslecht, die over Algerije.*

Op het ogenschijnlijk zo idyllische eiland Guadeloupe botsen begin 2009 demonstranten hardhandig met de Franse ordepolitie. Er wordt geplunderd en brand gesticht. Een vakbondsman komt om als een van de relschoppers hem voor een agent aanziet en neerschiet. Benzinestations en supermarkten zijn dan al weken dicht, net als scholen, ziekenhuizen en andere openbare voorzieningen. Voor hun dagelijkse boodschappen zijn de Guadeloupeanen aangewezen op de illegale markten die als paddenstoelen uit de grond schieten. Geprotesteerd wordt er tegen *la vie chère*. Vreemd is dat niet: de prijzen in het overzeese gebiedsdeel, dat in 1946 van kolonie tot volwaardig departement transformeerde, zijn beduidend hoger dan op het Franse vasteland. En dat terwijl de lonen er juist aanzienlijk lager zijn. Of beter gezegd: de uitkeringen, want ruim 30 procent van de bevolking zit zonder werk. Maar achter de boosheid over de belabberde economische situatie sluimert een heel ander conflict. Negentig procent van de economie op Guadeloupe is in handen van de zogenaamde *béké*: nakomelingen van vroegere blanke kolonisten. Drieduizend zijn er daarvan op het eiland, op een bevolking van 400.000. Samen met lokale bestuurders vestigden zij wat kranten op het Franse vaste land omschrijven als 'een impliciet koloniaal pact'. En zo slaan lokale vakbonden eind 2008 de handen ineen en richten de *Liyannaj Kont Pwofitasyon* (LKP, Creools voor 'Alliantie tegen uitbuiting') op. Uit de uitspraken van haar leider, de charismatische Elie Domota, blijkt hoezeer de wond van de kolonisatie op het eiland is blijven doorretteren. Domota roept de Guadeloupeanen op om te protesteren tegen 'de Franse koloniale macht die zich opmaakt de arbeiders, de jeugd en de bevolking van Guadeloupe te onderdrukken.' Tijdens de algemene staking die de LKP op 20 januari afkondigt, stelt hij dat Frankrijk 'de natuurlijke weg' heeft gekozen, dat wil zeggen: door gendarmes te sturen om 'de neger te breken' (*casser le nègre*). Terwijl de staking overslaat naar het nabijgelegen Martinique, doet het Elysée er het zwijgen toe, een stilte die de LKP onmiddellijk uitlegt als een teken van arrogantie die kenmerkend is voor de kolonisator van weleer. Terwijl staatssecretaris van de Overzeese Gebiedsdelen Yves Jégo in het conflict kopje onder dreigt te gaan, betreedt president Sarkozy uiteindelijk pas een maand na het begin van de staking het toneel.

Het is niet de eerste keer dat de Franse overheid zich de afgelopen jaren met een beroep op het kolonisatieverleden in het nauw laat drijven. Neem het tweehonderdjarig jubileum van de slag bij Austerlitz, de legendarische veldslag uit 1805 waarbij Napoleon Bonaparte de Oostenrijkers én de Russen versloeg en daarmee in één klap het Europese continent aan zijn voeten had. In de aanloop naar de grootse herdenking veroorzaakt de schrijver Claude Ribbe een enorme polemiek met zijn boek *Le Crime de Napoléon* (De misdaad van Napoleon), naar eigen zeggen bedoeld om de 'toegenomen napoleontische heldenverering te stuiten'. Daarmee wijst Ribbe in ieder geval naar de premier van dat moment, Dominique de Villepin, een verklaard bewonderaar én auteur van een bekroonde biografie van de kleine korporaal. Ribbe, zelf van Guadeloupeaanse afkomst, herinnert eraan dat Napoleon de slavernij in de koloniën herinvoerde nadat deze even eerder, tijdens de Franse Revolutie, was afgeschaft. Daarbij laat Ribbe het niet: 'Honderdveertig jaar voor de Shoah gebruikte Napoleon al gas om de burgerbevolking op de Antillen uit te roeien. Hij bouwde concentratiekampen op Corsica en Elba waar duizenden Fransen van overzee het leven lieten.' Ofwel: Napoleon was een directe voorloper van Hitler. Een paar dagen voor de herdenking kondigt de Antilliaanse pressiegroep *Collectifdom* – waarbij 'dom' staat voor 'départements d'outre mer' (Overzeese Gebiedsdelen) – een mars aan door Parijs om te protesteren tegen 'het historische revisionisme en de officiële herdenking van Napoleon'. Van die herdenking komt uiteindelijk niet veel meer terecht. Op Place Vendôme, het plein in Parijs waar de bronzen pilaar staat die Bonaparte liet gieten van de bij Austerlitz buitgemaakte kanonnen, vindt slechts een armetierige videoshow plaats. President Chirac laat verstek gaan wegens een 'lang tevoren gepland bezoek' aan een Frans-Afrikaanse top; De Villepin voert een werkbezoek aan de stad Amiens aan ter excuus, uiteraard ook 'lang tevoren gepland'. Bij de achterblijvers is de verontwaardiging groot, temeer omdat Frankrijk eerder dat jaar wél zijn vliegdekschip Charles de Gaulle naar Engeland heeft gestuurd om deel te nemen aan de zesdaagse herdenking van de slag bij Trafalgar, nota bene de zeeslag waarbij de Franse vloot door admiraal Horatio Nelson in de pan gehakt werd. De historicus Emmanuel Le Roy Ladurie vertolkt de woede en het onbegrip van velen wanneer hij zich in dagblad *Le Figaro* afvraagt in hoeverre 'we vanaf nu ook de herdenkingen gaan verbieden van de verrichtingen van de Franse koningen, van Louis XIII tot Louis-Philippe, aangezien ook zij medeplichtig waren aan de slavernij.'

Ribbe en bovengenoemd collectief hebben zich eerder dat jaar luidruchtig op de kaart gezet tijdens de geruchtmakende 'affaire-Pétré-Grenouilleau'. Olivier Pétré-Grenouilleau, een aan de universiteit van Lorient (Bretagne) verbonden historicus, heeft in 2004 bij uitgeverij Gallimard een baanbrekende studie over de slavenhandel gepubliceerd: *Les traites négrières*. Het baanbrekende zit hem in de titel. Pétré-Grenouilleau onderzocht namelijk niet alleen de Atlantische slavenhandel, maar de slavenhandel in zijn totaliteit, dus óók de Arabische en de inter-Afrikaanse. Een week nadat de auteur met zijn boek de prestigieuze Prix du Sénat du Livre de l'Histoire in de wacht sleept, verschijnt in de Franse pers een interview waarin hij stelt dat de slavenhandel, hoe verwerpelijk ook, niet als 'genocide' kan worden aangemerkt. Dit om de eenvoudige reden dat de slavenhandelaren niet het vooropgezette doel hadden een volk te vernietigen. Integendeel: een slaaf was handelswaar die men liever in levende toestand hard zag werken dan de dood in te drijven. Volgens Pétré-Grenouilleau wordt de vergelijking tussen de slavenhandel en de Shoah in toenemende mate gemaakt sinds de zogeheten wet-Taubira (2001), die stelt dat de slavenhandel een 'misdaad tegen de menselijkheid' is. Bij Ribbe c.s. zijn dan al de stoppen doorgeslagen. 'Heb ik het boek van die tweederangs onderzoeker die is komen afzakken uit het Bretonse laagland en die het waagt de oosterse slavenhandel te vergelijken met de racistische misdaad, zoals op touw gezet vanaf de Verlichting, goed gelezen?', vraagt hij zich af in een open brief. Het *Collectifdom* aarzelt geen seconde en dreigt Pétré-Grenouilleau voor de rechtbank te slepen wegens 'ontkenning van misdaden tegen de menselijkheid'. Een enorme rel is geboren, waarbij de historicus zelfs fysiek wordt bedreigd. Een debat op het Institut Néerlandais in Parijs kan alleen onder strenge politiebewaking plaatsvinden. Uiteindelijk loopt de affaire met een sisser af wanneer het Collectifdom besluit de aanklacht in te trekken nadat een groep Franse historici voor Pétré-Grenouilleau in de bres springt en erin slaagt de publieke opinie om te buigen.

DE VERSNELLING VAN DE GESCHIEDENIS

De opstand in Guadeloupe, de perikelen rond de herdenking van de slag bij Austerlitz en de affaire-Pétré-Grenouilleau zijn episodes uit de zogeheten 'herinneringsoorlogen' die in Frankrijk woeden rondom thema's als de kolonisatie en de slavernij. In een land dat van oudsher sterk op het verleden georiënteerd is en bovendien behept met een conflictueuze politieke cultuur, zijn de ingrediënten voor zo'n *guerre de mémoire* snel gevonden. Befaamd zijn de herinneringsoorlogen rond de Franse Revolutie en de Dreyfus-affaire, maar ook die rond het Vichy-regime mocht er wezen. In de jaren negentig laaide deze voor het laatst op tijdens het proces tegen Maurice Papon, de topambtenaar die wat al te ijverig had meegewerkt aan de deportatie van 1600 Franse Joden. Ook over mei '68 is de strijd nog niet gestreden, zoals bleek tijdens de veertigste verjaardag van de studentenrevolte in 2008.

Om te begrijpen hoe zo'n herinneringsoorlog ontstaat, is het belangrijk het onderscheid te zien tussen 'herinnering' (*mémoire*) en 'geschiedenis' (*histoire*). Geschiedenis is wat historici onderzoeken op een zo wetenschappelijk mogelijke wijze; herinnering is veel subjectiever, bedient zich van mythes en legenden en heeft vaak ook op identiteit gebaseerde doeleinden. Nakomelingen van slaven eisen publieke erkenning voor het hun voorouders aangedane leed. Zodra er sprake is van een antagonistische 'herinnering' ('Napoleon was een groot veldheer' versus 'Napoleon was een slavendrijver') kan er een herinneringsoorlog ontstaan. Een schat aan wapens staat de belligerenten daarbij ter beschikking: musea, monumenten, gedenkdagen, leergangen, universitaire leerstoelen enzovoort. Het strijdtoneel kan de school zijn, de filmzaal of de publieke ruimte. Maar uiteraard ook de media, de rechtszaal en zelfs het parlement. Zo stemde het Franse parlement in 2001 in met de reeds aangehaalde wet-Taubira (vernoemd naar de initiatiefneemster, Christiane Taubira, de socialistische afgevaardigde van Guadeloupe). Behalve dat de wet de slavenhandel en slavernij postuum als 'misdaad tegen de menselijkheid' aanmerkt, schrijft zij voor dat middelbare scholen er de aandacht aan besteden 'die zij verdienen'. Een dergelijke wet noemt men in Frankrijk een *loi mémorielle* (herinneringswet). Een veelgehoord bezwaar tegen dergelijke wetten is dat zij de strijd om erkenning uit de sfeer van de 'herinnering' trekken, terwijl zij tegelijk de sfeer van 'geschiedenis' kortsluiten. Het is de 'herinnering' die de 'geschiedenis' met hulp van de staat dicteert. Niet zelden tot razernij van vakhistorici, zoals verderop zal blijken.

Volgens de historicus Pierre Nora moet de vlucht die de 'herinnering' de afgelopen decennia genomen heeft, worden gezien in het licht van wat hijzelf 'de versnelling van de geschiedenis' noemt. Nora, lid van de *Académie française* en gevierd uitgever bij Gallimard, ontketende in de jaren tachtig een historiografische revolutie met zijn project *Les Lieux de mémoire* (Plaatsen van herinnering). Hierin was niet langer sprake van een lineaire beschrijving van het verleden, maar van geschiedschrijving aan de hand van collectieve herinneringen gedragen door personen (Descartes), concepten (gastronomie), symbolen (de Franse haan), monumenten (de kastelen langs de Loire) enzovoort. 'Vanaf de jaren zeventig van de vorige eeuw heeft zich een formidabele versnelling van het verleden voorgedaan', zegt Nora in de marge van een lunch ten huize van de Nederlandse ambassadeur in Parijs. 'Of beter: een sentiment van versnelling; een gevoel dat men steeds sneller afgesneden wordt van het verleden, een gevoel dat alle geschiedenis in een zwart gat dreigt te doen verdwijnen.' Een keerpunt was volgens Nora de oliecrisis van 1973, die een abrupt einde maakte aan de jaren van naoorlogse bloei die bekend staan als *Les Trente Glorieuses*. 'Men begon te beseffen dat er iets onomkeerbaars was gebeurd, namelijk dat het zwaartepunt definitief van het platteland naar de stad verschoven was.' Het feit dat Frankrijk nog veel langer dan andere Europese landen als een plattelandssamenleving te karakteriseren was, maakte het in veel opzichten een veel traditioneler land. 'Men maakte dingen, beoefende traditionele vakmanschappen. Toen de groei begin jaren zeventig stokte, drong het besef door dat de groei welvaart had gebracht, maar tevens een heel kapitaal aan specifieke kunde en bekwaamheden had vernietigd.' En zo kwam het volgens Nora dat men, in een poging het verleden vast te houden, opnieuw aan dat historische kapitaal ging hechten, een trend die in 1980 uitmondde in La journée du Patrimoine (de Dag van het Erfgoed), tot op de dag van vandaag een immens populair evenement. 'Lange tijd konden de Fransen leven op twee registers: een algemene van de geschiedenis en een meer particuliere van de herinnering. Zo kon je een edelman zijn van wie de voorvader tijdens de Franse Revolutie was geguillotineerd en thuis de gebruiken van de aristocratie in stand houden. Of je kon de nazaat van berooide Poolse immigranten zijn. Lange tijd was de republikeinse school een afdoende instrument om een collectieve herinnering over te brengen en staatsburgers te kweken, terwijl de familieherinneringen tegelijkertijd heel ver uiteen konden lopen.' Volgens Nora is dat dubbele register niet bestand gebleken tegen de versnelling van de geschiedenis en de daaruit voortvloeiende behoefte om dat verleden via de herinnering vast te houden. 'Vanaf dat moment wilde elk afzonderlijk deel van de bevolking dat zijn persoonlijke herinnering in de publieke ruimte erkend zou worden. Tegelijk komt het ook voor dat herinneringen opgaan in de geschiedenis, zoals gebeurde met veel van de herinneringen van de arbeidersklasse.' Volgens Nora maakt een *lieux de mémoire* als de *Mur des Fédérés*, de muur nabij de begraafplaats Père Lachaise in Parijs waar in 1871 meer dan 140 deelnemers aan de revolutionaire beweging de Commune werden geëxecuteerd, tegenwoordig deel uit van de algemene geschiedenis. Ook de herinnering van de boeren, de vrouwen en de Joden zijn tegenwoordig van herinnering tot geschiedenis geworden.

Het Franse koloniale verleden lijkt de fase van de herinnering echter in het geheel nog niet ontstegen. In de inleiding van *La fracture coloniale* (De koloniale breuklijn), een bundeling artikelen van filosofen, historici en sociologen die in 2006 verscheen, spreken Pascal Blanchard, Nicolas Bancel en Sandrine Lemaire in dat verband zelfs over een 'oplaaiing van de herinnering' (*flambée de mémoire*). Behalve als samensteller van een groot aantal verzamelbundels rond het thema van de kolonisatie deed Blanchard zich de afgelopen jaren gelden als curator en documentairemaker (zo regisseerde hij voor de zender ARTE de documentaire *Les zoos humains*, over de koloniale exposities van voor de Tweede Wereldoorlog). Van een conflict in de marge is het koloniale verleden inmiddels uitgegroeid tot een herinneringsoorlog van nationale proporties, stelt Blanchard vast. De vraag is dan natuurlijk waarom dat nu pas gebeurt en waarom met een dergelijke heftigheid. Volgens de samenstellers van *La fracture coloniale* moet dat in ieder geval voor een belangrijk deel verklaard worden vanuit de minachting die de leidende Franse historici lange tijd voor het onderwerp aan de dag legden. Opmerkelijk genoeg beschouwen zij Nora's project daar als een sprekend voorbeeld van. Waarom ruimde hij in zijn *Les Lieux de mémoire* zo weinig plaats in voor een fenomeen dat zo enorm en zo ingrijpend was als de kolonisatie, vragen zij zich af. Waarom wél erudiete artikelen over het *Grand Corps* (het samenstel van belangrijke staatsorganen), *la Coupole* (de plek waar de leden van de *Académie française* bijeenkomen) of de *Khâgnes* (de opleidingen die klaarstomen voor de concoursen van Frankrijks meest prestigieuze scholen) – instituties die slechts een kleine elite iets zeggen – en tegelijkertijd gezwegen over de zaken als de verovering van Algerije (1830), de achthonderd films die tussen 1912 en 1961 over de koloniën werden gemaakt, het neerslaan van de opstand op Madagascar in 1947, de nederlaag op de vlakte van Diên Biên Phù (Indochina, 1954) of het bloedbad in Parijs waar op 17 oktober 1961 tientallen, zo niet honderden Algerijnse demonstranten het leven lieten? Het alibi dat Nora daarvoor bij een eerdere gelegenheid aandroeg, was niet erg bevredigend. In *La Pensée tiède*, (Het lauwe denken, 2005), voerde hij 'tijdgebrek' aan als excuus en sprak over 'lastige keuzes' wanneer je met een team van zeventig auteurs werkt. Een dergelijk zwijgen van het wetenschappelijke establishment heeft volgens Blanchard c.s. de situatie in zekere zin geradicaliseerd en behalve tot gerechtvaardige claims om erkenning van aangericht leed ook tot uitwassen geleid als Ribbes boek over Napoleon of de aanklacht van het *Collectifdom* tegen Pétré-Grenouilleau.

VAN HERINNERINGSOORLOG TOT HERINNERINGSWET

Hoezeer de herinneringsoorlog rondom slavernij en het koloniale verleden ondertussen bezig is te escaleren, blijkt wel uit de uitlatingen van de zogeheten *Indigènes de la République* (Inboorlingen van de Republiek). Deze groepering betreedt begin 2005 het strijdtoneel met de stelling dat Frankrijk nooit opgehouden is een koloniale macht te zijn. Het enige verschil met de tijd van de *Empire* is dat de koloniale praktijken van weleer zich naar de *banlieue* verplaatst hebben. De *Indigènes de la République* presenteren zich nadrukkelijk als 'nakomelingen van slaven en gedeporteerde Afrikanen, zonen en dochters van gekoloniseerden en immigranten' en stellen dat er een oorzakelijk verband bestaat tussen deze afkomst en de discriminatie en de werkeloosheid in de Franse voorsteden. 'Hoe kan het dat de figuur van het slachtoffer tegenwoordig zo'n prominente rol in de samenleving heeft?', vraagt Pétré-Grenouilleau zich in een reactie af. 'Normaal gesproken gaat men op zoek naar de meest prestigieuze voorvader, zoals de negentiende-eeuwse bourgeois heimelijk hoopte dat hij van aristocraten afstamde. Het is alsof geboren Europeanen zich zouden voordoen als afstammelingen van slaven, horigen of proletariërs.' Met andere woorden: een identiteit was uiteindelijk altijd óók een kwestie van keuze. Dat de *Indigènes de la République*, waarvan de meesten nog geen dertig jaar oud waren, ervoor hadden gekozen zich te presenteren als nakomelingen van slaven was dus óf aanstellerij óf een provocatie. Waarschijnlijk een combinatie van beide. Toch is dit *J'accuse* voor anderen – de auteurs van *La fracture coloniale* met name – een aanwijzing dat er wel degelijk een koloniale breuklijn door de Franse samenleving loopt, die serieuze aandacht verdient. Het neemt niet weg dat het Houria Bouteldja, de woordvoerster van de *Indigènes de la République*, er vooral om te doen lijkt de Franse politieke en intellectuele elite op de kast te krijgen. De 'hoofddoekjesaffaire' van 2004 noemde ze een 'nieuwe Dreyfus-affaire' en tijdens een televisie-uitzending drijft ze Alain Finkielkraut tot razernij met een woordspeling waarbij ze 'blanke Fransen' ('Français de souche') aanduidt met het door haar verzonnen neologisme *souchien*, hetgeen in gesproken vorm ook 'minder dan hond' ('sous chien') kan betekenen.

Als de uitlatingen van de *Indigènes de la République* een reflectie zijn van het debat over 'het geheugenverlies dat in Frankrijk heerst waar het aankomt op het koloniale verleden', zoals *Le Monde* schrijft, dan is consensus voorlopig nog ver te zoeken. Dat blijkt wel uit de tegenbeweging die op gang begint te komen en die in de persoon van Pascal Bruckner haar meest eloquente woordvoerder vindt. In *La Tyrannie de la pénitence* (*De Tirannie van het berouw*, 2006), dat de veelzeggende ondertitel 'Essay over het Europese masochisme' draagt, maakt de filosoof en essayist gewag van een ‘cultuur van zelfkastijding’. Hij richt zich dan ook niet zozeer tegen degenen die eisen dat Frankrijk schuld bekent en door het stof gaat, maar tegen de politieke en intellectuele elites die volgens hem niets liever willen dan het boetekleed over de buik voelen schuren. Hun voormalige heerszucht is volgens Bruckner naar binnen geslagen en heeft hen getransformeerd tot masochisten. Nog steeds voelen zij zich superieur, alleen ontlenen zij die superioriteit tegenwoordig aan de ernst van het misdrijf dat zij bekennen. Hoe erger het misdrijf, hoe beter. ‘Waar ligt onze loyaliteit?’, vraagt hij zich af nadat hij meer dan 150 pagina’s lang de zweep over de argeloze lezer heeft gehaald. ‘Bij de zwarte bladzijden uit onze geschiedenis of bij de lessen die we eruit hebben getrokken? Bij de lange litanie van slachtpartijen of bij de inspanning die is geleverd om aan onderdrukking of onrecht te ontkomen?’ De Republiek heeft grote misdaden op haar geweten, Bruckner erkent het ruimhartig, maar paradoxaal genoeg is het volgens hem juist diezelfde Republiek die het instrumentarium leverde waarmee onderdrukten zich een weg naar de vrijheid konden banen. Zo wijst hij erop dat de opstandige slaven op Haïti zich beriepen op de *Déclaration des droits de l’homme et du citoyen* uit de Franse Revolutie en dat de leiders van de Algerijnse onafhankelijkheidsstrijd allemaal producten waren van het Franse schoolsysteem dat hen doordesemd had met revolutionaire idealen.

Uit de hartenkreten van de historicus Max Gallo blijkt wel dat het de tegenstanders van de Franse boetvaardigheid menens is. Fel trekt hij van leer tegen de ‘postheroïsche’ samenleving die Frankrijk onder Chirac naar zijn idee geworden is. Volgens Gallo is het allemaal begonnen met de rede die Chirac in 1995 hield ter nagedachtenis van de razzia in het wielerstadion *Vélodrome d’hiver* (kortweg *Vel’ d’hiv*), een operatie waarbij de Parijse politie in opdracht van het Vichy-regime op 16 en 17 juli 1942 ruim 13.000 Joden arresteerde en vervolgens op transport stelde naar vernietigingskampen in Nazi-Duitsland. Tot vreugde van de Joodse gemeenschap erkende Chirac in zijn toespraak voor het eerst de Franse schuld. Maar het brengt Gallo tot razernij, omdat Chirac daarmee de zorgvuldig door De Gaulle geconstrueerde mythe verbrijzelde die wil dat niet 'Frankrijk', maar 'Vichy' schuld draagt aan deze misdaad. In deze mythe wordt 'Frankrijk' geïncarneerd door De Gaulle en de 'vrije Fransen' in Londen en 'Vichy' door de met de nazi's heulende Pétain, Touvier, Bousquet enzovoort, door *individuen* kortom. 'In de nieuwe, "postheroïsche" visie op Frankrijk, zijn de staat en de nationale gemeenschap onderdrukkers die moeten worden bevochten, bestraft en vernietigd', stelt Gallo aan het einde van *L'Âme de la France* (2006). 'Wat overblijft zijn gemeenschappen, ieder met zijn eigen herinnering, tegengesteld aan de andere.' Dat uitgerekend de auteur van *Fier d'être français* zich in het strijdgewoel begeeft, is een signaal dat het bij de herinneringsoorlogen lang niet meer alleen draait om 'traumatische herinneringen' als slavernij en kolonisatie. Het duidt erop dat de Franse nationale herinnering als zodanig inzet van de strijd geworden is en daarmee indirect ook de Franse nationale identiteit op het spel is komen te staan. Wat blijft er immers over van die identiteit als de collectieve herinnering waardoor zij wordt gevoed bestaat uit een losse verzameling van schuldbekentenissen?

Met al zijn schuldbekentenissen en boetedoeningen heeft de Franse staat, poortwachter van die collectieve herinnering, de nationale herinnering volgens Gallo omgesmeed tot één langgerekte gang naar Canossa. In werkelijkheid valt dat overigens erg mee. Het is natuurlijk waar dat er sinds 1995 veel vuile was buiten is gehangen. Tegelijk zijn er lang niet alleen maar zwarte bladzijden geschreven. De werkelijkheid is dat de Franse staat zich niet alleen in de herinneringsoorlogen heeft laten meeslepen, maar dat door zijn zwalkende koers niet meer goed valt op te maken aan welke kant hij daarin staat. Zo neemt het Franse parlement in het voorjaar van 2005 óók een wet aan die de bijdrage eert van alle vrouwen en mannen die een bijdrage hebben geleverd aan 'het oeuvre' dat Frankrijk in zijn voormalige koloniën heeft geschapen en die bovendien voorschrijft dat schoolprogramma's de 'positieve rol van de Franse aanwezigheid overzee' benadrukken. Daarmee verschilt de wet in belangrijke mate van eerdere 'herinneringswetten' in de zin dat zij niet alleen iets 'erkent', maar tegelijk ook een specifieke visie op het verleden voorschrijft.

Ook de vakhistorici mengen zich nu in de strijd. Zij pikken het niet langer dat de staat voorschrijft hoe de geschiedenis uitgelegd moet worden. Achttien prominente historici, aangevoerd door Nora, richten het actiecomité *Liberté pour l'Histoire!* op en maken flink kabaal in de landelijke media. Met succes: een jaar later besluit Chirac de gewraakte passage over de 'positieve rol van de Franse aanwezigheid overzee' alsnog uit de wet te schrappen. De historici blijven alert, zeker als Chiracs opvolger zo zijn eigen ideeën blijkt te hebben over de wijze waarop de staat het verleden aan zich dienstbaar kan maken. Amper ingehuldigd haast Sarkozy zich al naar het Bois de Boulogne om daar eer te bewijzen bij het monument ter nagedachtenis van Guy Môquet. Bij die gelegenheid leest een scholiere de ontroerende brief voor die deze jonge communist de avond voor zijn executie in 1941 door de Nazi's aan zijn ouders schreef. Het brengt Sarkozy op een idee: voortaan zal aan het begin van ieder schooljaar in iedere Franse schoolklas een leerling de brief aan zijn medeleerlingen voorlezen. Een paar maanden later geeft Bernard Laporte, coach van het nationale rugbyteam en later staatssecretaris van Sport, alvast het goede voorbeeld door de brief voorafgaand aan een WK-wedstrijd tegen Engeland door een speler in de kleedkamer te laten voorlezen. Frankrijk verliest de wedstrijd jammerlijk. Geschiedenisleraren tonen zich minder enthousiast, en als de president alweer een ander idee presenteert, daalt hun geestdrift tot een dieptepunt: volgens dat plan zou iedere twaalfjarige een kind moeten 'adopteren' dat de dood vond tijdens de Shoah, zodat de herinnering aan deze gebeurtenis levend wordt gehouden. Voor de historici is de maat intussen vol, en in een tweede oproep (*l'appel de Blois*) zeggen ze dat het afgelopen moet zijn met de bemoeizucht en eisen tevens een onmiddellijk einde van de 'herinneringswetten'. 'Wat zal morgen op het menu van de parlementariërs staan?', vraagt Nora zich in *Le Monde* af. 'De boerenslachting in de Vendée? De slachting van protestanten tijdens de Bartholomeüsnacht?' De oproep krijgt opnieuw veel bijval, ook internationaal, en resulteert in een parlementaire commissie die eind 2008 in een rapport (getiteld 'de Natie samenbrengen rond een gedeeld verleden') adviseert om een einde te maken aan de jonge traditie van *lois mémorielles*. Het parlement stemt in met het rapport, al handhaaft het de bestaande wetgeving.

Hoe nu verder? Is Frankrijk sindsdien dichter bij het zo gewenste gedeelde verleden – de *roman national* – gekomen, of zullen de herinneringsoorlogen tot in het oneindige blijven voortwoeden? Pascal Blanchard is gematigd positief. Het is waar dat met name het jaar 2005 roerig is geweest, maar juist daardoor zijn er naar zijn idee ook veel taboes geslecht. Onder verwijzing naar Robert O. Paxton, de Amerikaanse historicus die begin jaren zeventig met zijn boek over Vichy het Franse debat rond deze duistere periode openbrak, hoopt Blanchard dat alle ophef uit 2005 een 'paxtoniaans effect' zal hebben, waarmee hij bedoelt dat een open debat over de kolonisatie een opening biedt tot verwerking van deze periode en ten slotte tot de constructie van een gedeelde herinnering rondom dit thema. Maar wil zo'n gedeelde herinnering werkelijk zijn beslag krijgen, dan zal eerst de moeder der herinneringsoorlogen moeten worden beslecht, die over Algerije.

'ALGERIJE' BLIJFT FRANKRIJK ACHTERVOLGEN

In wat de geschiedenis zal ingaan als de 'Rode Allerzielen' lanceert de Algerijnse bevrijdingsbeweging *Front libération nationale* (FLN) in de vroege ochtend van 1 november 1954 een serie aanvallen op militaire en burgerdoelen op het Frans-Algerijnse grondgebied. Vanuit Caïro wordt een boodschap de ether in gezonden waarin zij moslims oproept in het strijdperk te treden voor de 'restauratie van de Algerijnse staat'. Het luidt de oorlog in die in Frankrijk zelf 45 jaar lang geen oorlog mag heten en koppig 'de gebeurtenissen in Algerije' (*Les événements d'Algérie*) wordt genoemd. Het wordt een slepend, bloedig en complex conflict waarbij tal van groepen en partijen elkaar naar het leven staan. De FLN vecht een onderlinge machtsstrijd uit met de rivaliserende *Mouvement national algérien* (MNA); in Frans Algerije zelf, maar ook in de zogeheten 'caféoorlogen' op het Franse vasteland. Aan Franse zijde valt het leger uiteen gedurende twee staatsgrepen, terwijl de extreem-rechtse *Organisation de l'armée secrète* (OAS) zowel tegen de FLN als tegen de Franse regering strijdt. Daartussenin staan de *harkis*, Franse hulptroepen van Algerijnse afkomst, die later voor zover ze er niet in slagen naar het vasteland te ontkomen, als verraders worden afgeslacht. De burgerbevolking wordt door geen van de partijen gespaard en aan beide zijden wordt gemarteld. Schattingen lopen uiteen, maar volgens de Britse historicus Alistair Horne laten in totaal ongeveer 700.000 Algerijnen het leven, tegenover 30.000 Fransen (soldaten én burgers). De Gaulle, in 1958 teruggekeerd aan het roer van de in crisis geraakte staat, toont zich vanaf het begin af aan pessimistisch over de mogelijkheid het Algerijnse territoir voor Frankrijk te behouden. Beroemd is zijn ambivalente 'Je vous ai compris' ('Ik heb u begrepen'), vanaf het balkon tegen de mensenmassa op het centrale plein in Algiers. *Wie* heeft hij precies begrepen? De voorstanders van *l'Algérie française*, of de snel groeiende groep van Algerijnen die onafhankelijkheid eist? Het blijkt pas wanneer hij tot afgrijzen van de *pieds noirs* (de in Frans Algerije woonachtige Fransen) onderhandelingen opent met de onafhankelijkheidsbeweging. Deze monden in 1962 uit in de akkoorden van Evian, waar de Algerijnse onafhankelijkheid werd erkend. Frankrijk slaakt een zucht van verlichting. In een referendum stemt ruim 90 procent van de kiesgerechtigde Fransen met de akkoorden in.

'Frankrijk was moegestreden. Het wilde vergeten, wentelde zich in de welvaart van *Les Trente Glorieuses* en wendde de blik noordwaarts, richting Brussel. Maar vergeten is onmogelijk. Algerije zal ons achtervolgen en ons op de staart trappen, steeds opnieuw.' Dat zegt Benjamin Stora, een van de grootste kenners van de Algerijnse geschiedenis, in zijn studeerkamer in de Parijse voorstad Asnières. Stora promoveerde destijds op Messali Hadj, de geestelijk vader van de Algerijnse onafhankelijkheidsbeweging, en maakte sindsdien naam met studies als *La gangrène et l'oubli* (Het gangreen en het vergeten, 1991) en *La Guerre de l'Algérie* (De Algerijnse oorlog, 2004). Recentelijk publiceerde hij *Les guerres sans fin* (De oorlogen zonder einde), een persoonlijk getint boek. Stora's eigen leven is namelijk sterk beïnvloed door 'de gebeurtenissen' van 1954-1962. Zo wist de Sefardisch-Joodse familie waarin hij werd geboren haar bestaan in de Algerijnse stad Constantine na de onafhankelijkheid niet langer zeker en besloot naar Frankrijk te verhuizen. Waarom drukt de Algerijnse kwestie na bijna vijftig jaar nog steeds zo zwaar op het Franse collectieve bewustzijn?

Volgens Stora komt dat omdat er enorme massa's mensen bij betrokken waren: 1,5 miljoen Franse soldaten, 1 miljoen *pieds noirs* en de Algerijnse immigratie richting Frankrijk, die de grootste is van de afgelopen veertig jaar. 'In totaal raakt het tussen de 5 en 7 miljoen mensen. Dat is niet alleen een ideologisch trauma, maar het is realiteit, men voelt het fysiek, en dan spreek ik nog niet over de slachting van de *harkis*. Daarbij komt dat Algerije geen kolonie was als Indochina, of een protectoraat zoals Marokko, maar een integraal deel, een provincie van Frankrijk. Het verlies voelde als een amputatie, zoals het zou voelen als Frankrijk Bretagne of Corsica zou verliezen. Was de onafhankelijkheid een goed idee? Had de oorlog vermeden kunnen worden? Zou meer autonomie een oplossing geweest zijn? Wat was de politieke verantwoordelijkheid van De Gaulle? Er zijn tal van vragen die blijven doorzeuren en die gedragen worden door de kinderen en de kleinkinderen van de betrokkenen. Iedereen heeft zijn herinnering aan die geschiedenis. Men sleutelt er onophoudelijk aan, is erdoor geobsedeerd, wordt erdoor gepijnigd.'

Dat het er in de herinneringsoorlog rond Algerije het hardst aan toe gaat, is dus niet zo verwonderlijk. Geregeld komt het tot botsingen tussen het land en zijn voormalige kolonisator. Enkele jaren geleden sprak Abdelaziz Bouteflika, de huidige Algerijnse president, nog over 'een genocide op de Algerijnse identiteit'. Het begin daarvan lokaliseerde hij bij de slachtingen van Sétif en Guelma, waar het Franse leger bij een wraakactie in het voorjaar van 1945 het vuur opende op een ongewapende mensenmenigte en daarbij zeker 8000 mensen doodde. Dat Frankrijk bij monde van zijn ambassadeur in Algiers daar in 2005 voor het eerst in zestig jaar zijn excuses voor had aangeboden, was volgens Bouteflika niet genoeg: Frankrijk moet om genade vragen. Stora onderstreept dat dergelijke uitspraken ook een intern politiek doel dienen, namelijk om het Algerijnse nationale sentiment te mobiliseren, dat zich steevast tegen Frankrijk richt. 'Maar tegelijk wordt "Algerije" in Frankrijk gebruikt om politieke clientèles te smeden uit de *pieds noirs* die voorheen op het Front National stemden, zoals Sarkozy in 2006 probeerde met zijn rede in Toulon, waar hij het had over de goede werken die Frankrijk in Algerije heeft verricht.'

Uiteraard woedt de herinneringsoorlog ook in Frankrijk zelf. *Pieds noirs*, *harkis*, oud-strijders en Algerijnse immigranten hebben allemaal eigen herinneringen, die zich niet vanzelfsprekend met elkaar verdragen. *Pieds noirs* verwijten Frankrijk nog steeds de kille ontvangst die hen in 1962 ten deel viel en dromen weg bij een imaginair *Nostalgéria*; oud-strijders willen niet van systematische martelingen weten en houden het op het werk van individuen; kinderen van immigranten klagen over het gebrek aan mogelijkheden om zich in de Algerijnse kant van het verhaal te verdiepen en de *harkis* voelden zich in 2008 opnieuw verraden toen niets terechtkwam van een door Sarkozy beloofd werkverschaffingsplan. Op tal van plaatsen in Zuid-Frankrijk verrezen de afgelopen jaren documentatiecentra, monumenten en musea. In Perpignan werd een gedenksteen opgericht voor alle in Algerije gedode Fransen zonder graf. Deze 'Muur der vermisten' werd onmiddellijk onderwerp van polemiek. Getwist werd over het precieze aantal slachtoffers, maar ook over de vraag of de namen van leden van de OAS wel in hetzelfde marmer mochten worden uitgehakt als die van *pieds noirs* en *harkis*. Marseille bouwt aan een museum over de Middellandse Zee (het Mucem) waarin 'Algerije' prominent zal figureren, en in Montpellier beloofde de socialistische burgemeester Georges Frêche een museum dat ten doel had om de Franse aanwezigheid in Algerije te eren. Saillant detail is daarbij dat *Pieds noirs* twintig procent uitmaken van het electoraat in die stad. Sinds er een nieuwe burgemeester is en Frêche uit de Parti Socialiste werd gezet nadat hij een aantal *harkis* die hadden deelgenomen aan een manifestatie van Sarkozy's partij UMP voor 'minderwaardige mensen zonder eer' had uitgemaakt, is weinig meer van de plannen vernomen. Dat de grenzen tussen boete doen, eerbetoon en politiek cliëntelisme lang niet altijd even scherp zijn, bleek ook uit de reacties op het kassucces van de film *Indigènes*, over een groep Noord-Afrikaanse soldaten die tijdens de Tweede Wereldoorlog meevochten aan Franse zijde, maar anders dan hun medestrijders van Franse origine geen aanspraak konden maken op een oorlogspensioen. Op nationalistische haatblogs als *Fdesouche.com* werd smalend geschreven over een 'antiwesterse film', maar toenmalig president Chirac zag er wel brood in en aarzelde niet om de 80.000 nog in leven zijnde oud-strijders van het voormalige *Empire* op de dag van de première alsnog hun oorlogspensioen toe te kennen.

Ook de Algerijnse onafhankelijkheidsstrijd zelf dook de afgelopen jaren regelmatig op in films. Zo onthulde de schrijver en documentairemaker Patrick Rotman in *L'ennemi intime* (2007) dat het Franse leger napalm had gebruikt en in *Caché* (2005) speelt de Oostenrijkse regisseur Michael Haneke een subtiel spel met thema's als angst, verzwijgen en collectieve schuld wanneer hoofdpersoon Georges Laurent (Daniel Auteuil) en zijn vrouw (Juliette Binoche) verontrustende videocassettes ontvangen. De cassettes blijken afkomstig van Laurents adoptiebroertje Majid, wiens ouders op 17 oktober 1961 omkwamen tijdens het eerder al genoemde bloedbad in Parijs. In nooit helemaal opgehelderde omstandigheden kwamen die dag tientallen en misschien wel honderden Algerijnse demonstranten om het leven nadat zij door de politie de Seine in werden geknuppeld – een drama dat pas in 1998 officieel door de Franse regering is erkend. Majids kans op een normaal leven bij een Frans middenklassegezin in een Parijse voorstad wordt gefrustreerd als de jaloezie van de jonge Georges ervoor zorgt dat Majid alsnog in een weeshuis wordt geplaatst.

IN KRABBENGANG VOORWAARTS

Stora verklaart het voortwoekeren van de herinneringsoorlog rond Algerije ten dele uit de achterstand die het wetenschappelijk onderzoek heeft opgelopen. 'Anders dan in de Angelsaksische wereld houdt men zich in de Franse academische wereld nog pas betrekkelijk kort met het onderwerp bezig. De koloniale kwestie werd hier lange tijd als iets secundairs gezien, als een exotisme en niet als een centrale kwestie. Ik was de enige leerling van de grote Algerije-specialist Charles-Robert Ageron! Pas in de jaren tachtig kwamen er meer promovendi, en sinds een jaar of tien bestaat er iets wat het predicaat "postkoloniale studies" waardig is', zegt Stora, al benadrukt hij dat het aantal leerstoelen zeer gering blijft. Dit kennisvacuüm gaf volgens Stora jarenlang ruim baan aan waanbeelden en eenzijdige verslagen vanuit de voormalige koloniën. Tegenwoordig kijkt Frankrijk niet langer weg, maar volledige openheid is nog lang niet aan de orde. Zo erkende de Franse regering pas in 1999 dat er in Algerije van een 'oorlog' sprake was (en niet van 'gebeurtenissen') en zoals gezegd veroordeelde de Franse ambassadeur pas in 2005 de slachtingen bij Guelma en Sétif. 'Dat zijn belangrijke symbolische gebaren', erkent Stora, 'net als de wet-Taubira of de rede die Chirac hield in Madagascar.' Op dit eiland betuigde de president in 2005 spijt voor de bloedige onderdrukking van de onafhankelijkheidsopstand in 1947-1948, waarbij circa 40.000 doden vielen. 'Maar het laat onverlet dat er veel misdaden zijn gepleegd, en omdat er veel achterstand is opgelopen met de erkenning daarvan, zijn er veel claims op dat gebied. Het is waar dat in de betreffende landen – vaak dictaturen – het nationale gevoel nogal eens is geconstrueerd rond de haat jegens de vroegere onderdrukker. Dat maakt Franse politici huiverig om het hoofd te buigen en aan die claims tegemoet te komen. Maar juist deze combinatie van quasigeïnstitutionaliseerde rancune en de onwil tot erkenning heeft geleid tot een vicieuze cirkel die de mogelijkheid blokkeert om de twee herinneringen bij elkaar te brengen en tot één gedeelde herinnering te smeden.'

Anders dan intellectuelen als Max Gallo of Pascal Bruckner denkt Stora dan ook niet dat Frankrijk inmiddels wel genoeg boete heeft gedaan. 'Integendeel, ik vraag juist steeds, wat hebben we eigenlijk gedaan? Wat zijn de gebaren die de Franse overheid gemaakt heeft? Zojuist haalde ik een paar dingen aan, maar dat is niets! Daarmee vatten we alles samen wat de Franse staat in tien jaar heeft gedaan. Dat is allemaal zeer ontoereikend. Er moeten onderzoeksprogramma's worden opgezet, leerstoelen ingesteld, beurzen toegekend, documentatiecentra gesticht en boeken geschreven samen met historici uit de voormalige koloniën. De opgave van Frankrijk is alle gewonde herinneringen uit de geschiedenis te integreren in een nieuw nationaal republikeins verhaal.' Dat de staat daarbij af en toe bijspringt met een wet, vindt Stora op zichzelf geen bezwaar. 'Het waren er misschien wat veel de afgelopen jaren, maar de petitie van *Liberté pour l'Histoire!* heb ik niet getekend. Je moet het per geval bekijken.' In waardevrije geschiedbeoefening gelooft de voormalig trotskist Stora al helemaal niet. 'Alle grote Franse historici, van Jules Michelet tot François Furet, waren op hun manier ook politici' zegt hij met een veelbetekende grijns. 'Dit is Frankrijk, rechtsom of linksom, *alles* is hier politiek, dus zéker de geschiedenis. Laat ons het dáár tenminste over eens zijn.'

HOOFDSTUK 9

'Frankrijk blijft hardnekkig weigeren de wereld te zien zoals hij is.'

Interview met Marcel Gauchet

Nicolas Sarkozy wil Frankrijk de nieuwe eeuw inleiden. Marcel Gauchet toont zich sceptisch over die onderneming. De prominente Franse historicus en filosoof vreest namelijk dat oude instincten sterker zullen zijn, van Frankrijk én van de huidige president.

'Parijs? Dat is de homerische ontkenning van de werkelijkheid!', zegt Marcel Gauchet terwijl zijn lippen zich plooien tot een grijns. 'In welk ander westers land dan Frankrijk kan een boek als *L'Hypothèse communiste* van Alain Badiou uitgroeien tot een bestseller? *Bon.* We hebben in ieder geval weer iets om te exporteren naar de Amerikaanse universiteiten. In plaats van Derrida sturen we nu de zuiverste radicaal!' Dan ernstig: 'Het lijkt absurd, maar het zegt iets over de morele staat van dit land, dat hardnekkig blijft weigeren de wereld te zien zoals hij is.'

Gauchet (1946) geldt als een van de interessantste Franse denkers van zijn generatie. In zijn imposante oeuvre schuwt hij de grote greep niet en bedient hij zich van disciplines als filosofie, geschiedwetenschappen, economie en antropologie. Tegelijk afficheert hij zich nadrukkelijk als publieke intellectueel – een zeldzaamheid in het huidige Frankrijk, waar 'media-intellectuelen' zonder noemenswaardig oeuvre nogal eens de boventoon voeren. Hij debatteert net zo vanzelfsprekend over de toekomst van Europa met Jacques Delors als over de crisis van de Franse school met journalisten van het obscure vakblad *Famille et éducation.* Hij stelde zich aan het hoofd van de groep 'refondateurs', die vernietigende kritiek uitten op de plannen van de regering tot verzelfstandiging van de universiteiten, en deed zich kennen als een van de leidende *sarkologues*, zoals de talrijke Sarkozy-watchers worden genoemd. Toen de huidige president twee jaar in het Elysée zat, nodige *Libération* Gauchet uit de krant naar eigen inzicht vol te schrijven. Dat het oppositionele dagblad daar uitgerekend hem voor vroeg, was niet toevallig. Hij toonde zich bij herhaling zéér kritisch over de verrichtingen van de *hyper-président*.

'Sarkozy biedt een bedrieglijk perspectief', zegt Gauchet in zijn werkkamer bij uitgeverij Gallimard in de rue Sébastien-Bottin, tijdens het eerste van twee uitvoerige gesprekken. Een week daarvoor heeft Sarkozy in het Château de Versailles de verzamelde afgevaardigden en senatoren toegesproken. De laatste Franse leider die deze eer te beurt viel was Louis-Napoléon Bonaparte, en er moest een grondwetswijziging aan te pas komen voordat Sarkozy aan zijn toespraak kon beginnen. In het tumult dat na afloop ontstond over de boerka (een kledingstuk dat de president niet op het Franse grondgebied welkom zei te achten) ging verloren dat hij ook de lof zong van het Franse staatsgeleide sociaaleconomische model. Dat was niet alleen beter dan verwacht bestand gebleken tegen de economische crisis, maar kon volgens Sarkozy zelfs als voorbeeld dienen voor het Angelsaksische roofkapitalisme. 'Sarkozy werpt zich nu op als verdediger van het model waarmee hij eerst nog wilde breken. Dat zegt veel over de totale staat van ontreddering waarin de leiders van dit land verkeren. Na twee jaar heeft Sarkozy ingezien dat het Franse model sterker is dan hij, en dat hij, als hij zijn ambtstermijn wil volmaken of aanspraak wil maken op een tweede, zich héél klein zal moeten maken. Vanuit dat oogpunt is hij een pragmaticus, dát moet gezegd.' Aldus Gauchet, terwijl de grijns op zijn gelaat terugkeert.

Bij Gallimard geeft Gauchet leiding aan het invloedrijke tijdschrift *Le Débat*. Daarmee is hij tegelijk de huisfilosoof annex ideeënaanjager van de beroemde uitgeverij, een rol die vóór hem jarenlang werd vervuld door Jean-Paul Sartre. Dat is frappant, want Gauchet verschilt in nagenoeg alles van zijn illustere voorganger, die meende dat het marxisme 'de niet te overschrijden horizon van onze tijd' was (*l'horizon indépassable de notre temps*). Na een korte flirt eind jaren zestig stelde Gauchet immers juist alles in het werk om zich uit de omhelzing van dat marxisme los te maken. Als zoon van een onderhoudsman en een naaister en opgegroeid in de grijze mist van het Normandische dorpje Poilley, was er niets in zijn jeugd dat hem voorbestemde voor de wereld van de ideeën. Na de middelbare school doorliep hij de kweekschool en ging lesgeven op een *collège* (voor leerlingen van 12 tot 15 jaar) in de verderop gelegen stad Caen. Op zijn twintigste besluit hij alsnog te gaan studeren en schrijft hij zich in aan de uiterst links georiënteerde universiteit van Caen, waar hij onder de hoede komt van de denker Claude Lefort. Deze ploetert op dat moment aan zijn monumentale proefschrift *Le travail de l'oeuvre Machiavel* (1972). Lefort zal een belangrijke rol spelen in de intellectuele ontwikkeling van de jonge Gauchet, omdat hij hem op het spoor zet van de politieke filosofie. Gauchet pakt het stevig aan: hij studeert af in filosofie, geschiedenis en sociologie. Publiceren doet hij vanaf het begin van de jaren zeventig, in het tijdschrift *Textures* en nadat dat ter ziele is gegaan in het door hem zelf opgerichte *Libre*. Zijn breuk met het marxisme, en pijnlijker, met Lefort, is dan reeds achter de rug. 'Ik was "verrechtst"', zegt hij daarover in *La Condition historique* (2003), 'met andere woorden: ik koos voor de normale politiek.'

Eind jaren zeventig vraagt de historicus Pierre Nora, tevens uitgever bij Gallimard, of Gauchet hoofdredacteur wil worden van een nog op te richten tijdschrift, bedoeld als filosofische pendant van de literair georiënteerde *Nouvelle Revue Française* (NRF) en als tegenwicht voor het gekwetter van de 'nieuwe filosofen' van Bernard-Henri Lévy. De keuze is snel gemaakt. Met een artikel in het nulnummer van *Le Débat* (*Les droits de l'homme ne sont pas une politique*, 1980), waarin hij de dan heersende mode van de mensenrechten aanvalt, veroorzaakt Gauchet een enorme polemiek in het Parijse intellectuele milieu. Enkele jaren later volgt het epochemachende boek *Le Désenchantement du monde* (De onttovering van de wereld, 1985). In deze politieke geschiedenis van de religie presenteert hij niets minder dan een nieuwe theorie over de geboorte van de moderniteit uit het christendom. Volgens Gauchet is het christendom de religie geweest die de stapsgewijze ontsnapping uit de religie, zoals die vanaf circa 1500 op touw werd gezet, mogelijk heeft gemaakt. Het leest als 'Hamlet zonder koning', schrijft de Canadese filosoof Charles Taylor in het voorwoord bij de Engelse vertaling.

Andere werken volgen, waaronder zijn ook in het Nederlands vertaalde boek *Religie in de democratie. Het traject van de laïciteit* (SUN, 2006). Op het moment dat ik hem spreek legt Gauchet de laatste hand aan *Le Nouveau Monde*, het vierde deel van *L'Avènement de la démocratie* (De opkomst van de democratie), dat het vervolg is van *Le Désenchantement du monde*. Sinds religie niet langer richtinggevend is, is de westerse mens genoopt zelf zijn weg te vinden in de wereld. Welke wegen staan hem daartoe open? Is hij werkelijk in staat zichzelf te besturen, vraagt Gauchet zich af. Over het huidige tijdsgewricht toont hij zich wat dat betreft somber. Dankzij de toegenomen individualisering en de globalisering zijn niet langer de uitspattingen van de macht als het totalitarisme te vrezen, maar de puinhopen van de onmacht, zo luidt zijn stelling. Dat is geen geruststellend vooruitzicht. Over Frankrijk en zijn vermogen zich aan te passen aan de nieuwe wereldorde zoals die eind jaren zeventig gestalte kreeg, is hij evenmin erg optimistisch, en over Sarkozy al helemaal niet.

Zoals uit het bovenstaande blijkt, is Gauchet allesbehalve een schuwe studeerkamergeleerde. Toch draait hij niet mee in de mondiale sterrencarrousel van denkers waar mensen als Peter Sloterdijk, Slavoj Žižek en Roger Scruton schitteren. 'Dat is maar tijdverlies', zo verklaart hij zijn afwezigheid. Het laat onverlet dat Gauchet in Frankrijk zelf prominent in het publieke debat aanwezig is en er de plaats inneemt die vóór hem achtereenvolgens door Foucault en Bourdieu werd ingenomen. Vooral naar zijn jaarlijkse *tour d'horizon* in *Le Débat* wordt uitgekeken. Daarin legt Gauchet – aanvankelijk met de historicus René Rémond, en omdat die 'onvervangbaar' is, sinds diens overlijden in 2007 met steeds wisselende gesprekspartners – de vinger aan de pols van de Franse politiek en samenleving. Speciaal voor *Parijs denkt* dacht Gauchet in die traditie na over het Frankrijk van nu. Hoe verhoudt het zich ten opzichte van Europa en de globalisering? Welke ontwikkeling maakte het land de afgelopen decennia door? In hoeverre is Sarkozy een antwoord op de problemen waarvoor het zich gesteld ziet? Hoe valt te verklaren dat de linkse oppositie er maar niet in slaagt een geloofwaardig alternatief te presenteren? Het zijn vragen die zich opdringen, zeker tegen de achtergrond van de inktzwarte diagnose die Gauchet aan de vooravond van de laatste presidentsverkiezingen stelde, toen hij sprak over 'een psychologische en morele crisis zoals nog niet eerder in vredestijd is voorgekomen'. Hij signaleerde een wanhoop die verankerd ligt in de overtuiging een uitdaging te moeten aangaan die de aanwezige krachten simpelweg te boven gaan. 'Alsof er iets in de wereld is dat ons op onzichtbare wijze marginaliseert, zonder dat het ons de kans geeft onze mogelijkheden te benutten.'

Sindsdien zijn er verkiezingen geweest en huist er een zeer dynamische president in het Elysée die veel dingen in beweging heeft gezet. Althans, die indruk wekt hij van een afstand. Marcel Gauchet, in hoeverre is uw diagnose uit 2006 nog steeds geldig?
In essentie gaat die diagnose nog steeds op. In de tussentijd hebben er natuurlijk presidentsverkiezingen plaatsgevonden en vanuit democratisch oogpunt zijn die goed verlopen, los van het oordeel dat je over de kandidaten kunt vellen. De verkiezingen zijn geslaagd in de zin dat er sprake was van een werkelijke confrontatie van ideeën en visies die de kiezer naar de stembus heeft weten te krijgen. Echter, na ruim twee jaar met Sarkozy aan het roer zien we dat de uitgangssituatie nog steeds hetzelfde is. Sarkozy heeft zich voorgedaan als de kandidaat van een slecht gedefinieerde 'breuk' met het verleden, en nu werpt hij zich plotseling op als verdediger van het model waar hij eerst juist mee wilde breken. De recente koerswijziging kan gerust spectaculair genoemd worden. Precies op het moment dat Sarkozy's oorspronkelijke project op weerstand begon te stuiten, bood de

economische crisis hem kans van paard te wisselen en alsnog het Franse model te omhelzen. Maar ook daarachter, dus in het land zelf, zie je dat de situatie onveranderd is gebleven: het is nog steeds erg problematisch om 'Frans' te zijn.

Welke breuk, slecht gedefinieerd of niet, streefde Sarkozy aanvankelijk na?

Sarkozy's oorspronkelijke project behelsde de ontsnapping uit een Frankrijk dat volgens hem geblokkeerd zou zijn door een anachronistisch etatisme en een religie van de openbare dienstverlening, ofwel: aanpassing aan de Europese liberale norm en in bredere zin aan de criteria van de landen die lid zijn van de Organisatie voor Economische Samenwerking en Ontwikkeling (OESO). Dat zou overigens niet eens zo'n absurde ambitie zijn geweest, mits zo'n aanpassing op doordachte wijze plaats zou vinden. En daar wringt het, want een land hervormen, het aanpassen aan een nieuwe internationale werkelijkheid, vereist dat men zich vooraf een nauwkeurig idee vormt van de bijzonderheden van dat land en vervolgens een intelligente manier bedenkt om de bevolking van de noodzaak van die evolutie te overtuigen. Dat kan in ieder geval niet door, zoals Sarkozy beoogde, een soort universeel recept te gebruiken dat op geen enkele manier rekening houdt met de specifiek lokale kenmerken. Dé Franse moeilijkheid blijft dat het land, sinds de fundamentele verandering die begin jaren zeventig in de wereld inzette en die men voor het gemak onder de noemer van de 'globalisering' plaatst, steeds maar niet de middelen vindt om zich aan te passen aan de nieuwe situatie in de wereld.

Op geen enkele manier? Frankrijk is nog steeds wel de vijfde economie ter wereld.

In ieder geval niet vanuit het gezichtspunt van zijn identiteit. In de praktijk heeft Frankrijk zich uitstekend weten aan te passen. Franse bedrijven zijn net als iedere andere willekeurige onderneming in Europa en er zijn talrijke Aziatische, Britse en Amerikaanse bedrijven die in Frankrijk zetelen. Daarom is het belangrijk onderscheid te maken tussen de praktische aanpassing, die grotendeels voltooid is, en het verzet ertegen, nota bene vanuit de instellingen in de publieke sector en het staatsapparaat. Dus het probleem is de identiteitsaanpassing: het lukt Frankrijk maar niet om een voet tussen de deur te krijgen bij het spel van de globalisering en bij het geheel van nieuwe politieke parameters die vandaag de dag de samenleving aansturen. Daarbij komt dat de Fransen zich bijzonder ongemakkelijk zijn gaan voelen bij wat dé grote Franse idee sinds 1945 was: Europa.

Wat hield die idee in?
In de eerste plaats ging het om de Frans-Duitse verzoening. Dat was uiteraard de voorwaarde. Als de twee partijen zich zouden opmaken voor een derde ronde om de macht over het continent, zou er weinig van het Europese project terechtgekomen zijn. Dus: Frans-Duitse verzoening én de politieke constructie van een entiteit die nooit heel erg duidelijk gedefinieerd is, maar die voor Frankrijk een manier was om zijn licht over het contitent te laten stralen, maar zonder dat daarbij sprake was van 'macht' in de vroegere militair-strategische zin. Dat project liep gedurende een tijd heel goed en bood De Gaulle de mogelijkheid een soort derde weg te bewandelen in de confrontatie tussen het Oostblok en de Verenigde Staten. Vanuit dat perspectief zijn de Fransen er altijd erg van gecharmeerd geweest, en Mitterrand heeft die lijn dan ook voortgezet: de idee van een 'Europees Frankrijk' bood een vredelievende manier om internationaal mee te blijven tellen. Ook Sarkozy weerspiegelt het Franse verlangen om een zwaarwegende invloed op Europa te hebben. Maar die zal Frankrijk – en dat beseffen de Fransen heel goed – niet meer krijgen. Dankzij de val van de Muur en de uitbreiding van de Unie is *L'Europe française*, zoals dat tot en met Mitterrand een doelstelling was, ten einde gekomen. Fundamenteel punt in de identiteitscrisis is dat Frankrijk zich in Europa herkende omdat het er zichzelf zag. Dat is definitief verleden tijd. Voor de Fransen betekent 'Europa' helemaal niets meer. Het volstaat om het woord 'Europa' in de titel van een artikel te zetten om er zeker van te zijn dat niemand het nog leest.

Geldt dat probleem niet in dezelfde mate voor andere Europese landen en met name voor de andere voormalige grootmachten, Duitsland en Engeland?
Het is belangrijk om te beseffen dat 'Europa' traditioneel voor iedere lidstaat iets anders betekent. Neem een land als Spanje en in mindere mate Italië, waarvoor Europa een instrument tot modernisering is geweest. Europa is daar vanzelf populair, eenvoudigweg omdat het die landen in staat heeft gesteld om economische achterstanden in te lopen en in politiek opzicht te normaliseren. Voor weldenkende Italianen is Europa de enige hoop op modernisering van de samenleving, gevangen als die zit in de archaïsmen die we maar al te goed kennen. Dan is er het perspectief van de voormalige grootmachten. Er zijn er drie: Frankrijk, Engeland en Duitsland. Voor deze landen is 'Europa' het instrument om zich als grootmacht te reconstitueren, maar ze doen dat alle drie op hun eigen wijze. Engeland heeft na 1945 de keuze gemaakt zich vast te plakken aan de Verenigde Staten, in ieder geval op het militair-strategische vlak. Voor Engeland is Europa het terrein waar het de macht kan uitoefenen die het dankzij zijn geprivilegieerde relatie met de Verenigde Staten meent te kunnen claimen. Voor de Duitsers is Europa het middel om de smetten van het belaste verleden weg te wassen en het internationale respect terug te winnen. Dat doen ze niet langer op militair, maar op economisch gebied. En dat is ze gelukt. Maar Europa is daarin ook maar een instrument: uiteindelijk is het de kaart van de globalisering die de Duitsers interesseert. De overige componenten van Europa zijn de kleine landjes, die traditioneel afhankelijk waren van de grote landen en hun stemmingen. De onuitgesproken ambitie tussen de groten en de kleintjes in Europa is altijd geweest om de machtsfactor te neutraliseren. In dat opzicht is er een enorm succes geboekt, maar tegelijk is Europa ook het slachtoffer van dat succes, want wat nu te doen? Hoe moeten we zin geven aan het Europese project als het probleem dat er de basis van vormde is opgelost? Europa heeft zich haar eigen succes, dus de neutralisering van de factor 'macht', zo eigen gemaakt dat het niet langer in staat is in termen van macht te denken, terwijl de Verenigde Staten, Rusland

en opkomende economieën als India en China dat nadrukkelijk wél doen. Dus: iedere lidstaat speelt zijn eigen spel in Europa, waarbij Frankrijk het minst succesvol is gebleken, terwijl het spel tussen de lidstaten onderling verlammend is gaan werken voor de verdere Europese constructie.

Hoe zit het binnen de Franse grenzen, op welke manier is de identiteitscrisis waarover u spreekt daar werkzaam?
Binnen de grenzen heeft Frankrijk problemen die aan de ene kant overbekend zijn en tegelijkertijd heel slecht begrepen worden. Problematisch is met name de opvatting die de Fransen hebben van de politiek, van de staat en van de rol van de staat in de samenleving, omdat die geheel haaks staat op de ontwikkelingen in de samenleving sinds de afgelopen dertig jaar. Op dat vlak wringt er iets, en dat frustreert enorm. De opkomst van iemand als Jean-Marie Le Pen is alleen te begrijpen tegen de achtergrond van een diepe identiteitscrisis. Het duidt erop dat er een aantal problemen zijn waarop geen enkele politieke elite een intelligent antwoord heeft weten te formuleren.

Wat zijn die onopgeloste problemen?
Het komt erop neer dat de historische erfenis van Frankrijk niet in overeenstemming is met de eisen van de samenleving van vandaag. Er zit een kloof tussen die twee die de mensen verontrust en hen het gevoel geeft dat zij verloren zijn. Tussen 1945 en zeg 1975 zat Frankrijk juist heel goed op één lijn met de omliggende wereld. Het was het tijdperk van de staat, het dirigisme, gemengde economie en grote infrastructurele projecten, en de Fransen voelden zich bijzonder op hun gemak met dat model. Frankrijk behoorde in die periode tot de meest innovatieve landen: de TGV, de Concorde, het kerncentraleprogramma, er was veel innovatie en ook de culturele creativiteit van het land was uitstekend. Daarbij wist het Europa nog steeds te bespelen. Maar het staatsgeleide model maakte elders in de wereld plaats voor een model geënt op een neoliberale ideologie en een reeks van economische gedragspatronen die men tegenwoordig als de 'globalisering' aanduidt en die ik in mijn nieuwe boek de Nieuwe

Wereld noem. Zo op hun gemak als de Fransen eerst waren, zo ongemakkelijk voelden zij zich daarna en dat duurt nog steeds voort. Het eerste symptoom daarvan, en daar kan niet vaak genoeg op gewezen worden, was de verkiezing van Mitterrand in 1981 op een programma van planeconomie en nationaliseringen, terwijl Engeland tegelijkertijd midden in de thatcheriaanse revolutie zat en in de VS juist Ronald Reagan was gekozen. Je kunt geen radicalere manier verzinnen van ingaan tegen de trend die geleidelijk de algemene norm zou worden. '1981' kondigde het moment aan waarop de Fransen in een staat van ontkenning kwamen te verkeren ten aanzien van deze verschuiving in de wereld. Dat dat moment nog steeds blijft voortduren blijkt alleen al uit het feit dat hier de laatste maoïsten, situationisten, trotskisten enzovoort rondlopen die er nog bestaan. De aanwezigheid van filosofen als Badiou, de verkoopcijfers van een boek als *L'insurrection qui vient* of de populariteit van een politicus als Olivier Besancenot zeggen iets over de staat van dit land, dat hardnekkig blijft weigeren de wereld te zien zoals hij is. Op het gebied van zijn collectieve politieke identiteit gaat dat heel ver. De grote vraag voor de Fransen zal daarom ook zijn wanneer zij zich ertoe zullen zetten om zich de wereld eigen te maken waar ze overduidelijk nog niet klaar voor zijn.

Terwijl de omringende wereld zich rekenschap gaf van de neoliberale trend en de globalisering, beet Frankrijk zich dus vast in zijn traditie van etatisme. Wat is dat toch met Frankrijk en de staat? Waarom wordt daar zo nadrukkelijk aan gehecht?
Fransen houden van de staat omdat zij geloven in de wet. Niet de wet uit het burgerlijk wetboek, dat wil zeggen, het recht tussen personen onderling, maar de wet die voor iedereen in gelijke mate opgaat. Ze hebben echt een passie voor het idee van een regel die voor iedereen geldt en die onverkort wordt toegepast. Dat is een uitvloeisel van het *Ancien régime*, waarin sprake was van een geïnstitutionaliseerde ongelijkheid. Via de wet, te handhaven door de staat, heeft men destijds uit die wereld willen ontsnappen. In de politiek heeft men zo zijn eigen redenen om de staat te willen houden zoals hij is. Zo heeft rechts de staat

nodig voor de handhaving van alles wat de openbare orde aangaat en voor links is de staat onmisbaar voor sociale hervormingen. Daarbij komt dat er in Frankrijk een lange traditie bestaat van politiek rationalisme; heel anders dan in Engeland of de Verenigde Staten, waar het er in de politiek om gaat compromissen te zoeken tussen verschillende individuen en groepen en waar mensen die het oneens zijn op zoek gaan naar een manier om een akkoord te vinden. De politiek in Frankrijk, dat is de toepassing van rationele ideeën, en de rol van de staat als uitvoerder van die ideeën is daarbij beslissend. Daarom willen wij altijd systemen die voor iedereen gelden. Het zijn niet de pragmatische arrangementen die via de politiek worden uitgevoerd, maar grote schema's en ideologieën. Daarom is het ideeëndebat in Frankrijk ook zo belangrijk, en het maakt dat de politiek zo van ideologie doordrongen is.

In hoeverre staat die het politieke rationalisme in de weg om zich de Nieuwe Wereld eigen te maken?
Het is een handicap in de zin dat van sommige van die ideeen een kracht uitgaat die de ontwikkeling van de geschiedenis stillegt, omdat de ideologieën waar ze onderdeel van uitmaken achterhaald zijn. De communistische idee bijvoorbeeld, die in Frankrijk nog steeds een bijzondere aura heeft. Het probleem met ideologieën als het communisme of het neoliberalisme is dat er niet veel van voorhanden zijn. De ideeën waarin Frankrijk gevangen zit, behoren toe aan een verleden dat dood is. Er is een nieuw groot idee nodig, maar *als* dat eenmaal gevonden wordt, is het Franse systeem zeer efficiënt. Juist in het telkens teruggrijpen op achterhaalde ideeën zie je dat Frankrijk nog niet klaar is voor het zich eigen maken van de Nieuwe Wereld. Ook met Sarkozy grijpt Frankrijk in zekere zin weer terug op dat verleden: het is de pose van de monarchen en Bonaparte, van de *homme providentiel.* Het probleem met Sarkozy is dat hij niet zozeer providentieel is als wel *televisueel*, om het zo maar eens te zeggen. Niet door de Voorzienigheid gezonden, maar door de televisie uitgezonden.

Dat brengt ons terug bij Sarkozy. Sommigen betichten hem van bonapartisme. Is dat verwijt terecht?
Het sarkozysme van vóór de rede in Versailles was in zijn vorm bonapartistisch, dat wil zeggen wilskrachtig en autoritair, maar in zijn wezen was het dat niet. Het bonapartisme van Napoleon en later dat van De Gaulle manifesteerde zich in een bijzondere historische context: in het geval van Napoleon die van de Franse Revolutie en in het geval van De Gaulle die van de Algerijnse oorlog. In beide gevallen ging het om een stabiliserende kracht, die in het specifieke geval van Napoleon gericht was op het behoud van de verworvenheden van de Revolutie in een geapaiseerd sociaal klimaat. Bij het sarkozysme ging het er aanvankelijk juist om te *de*stabiliseren. Sarkozy wilde bestaande patronen doorbreken, zoals verworvenheden in de vorm van allerlei privileges voor overheidspersoneel (*les régimes spéciaux*) ongedaan maken uit naam van de aanpassing aan de nieuwe globale economische orde. Maar sinds de crisis is dat allemaal veranderd en is het sarkozysme ook inhoudelijk een bonapartisme geworden, dat wil in dat geval zeggen: gericht op stabilisering en niet langer op de modernisering van het Franse sociaaleconomische model.

Toch zou je denken dat uitgerekend een energiek en wilskrachtig iemand als Sarkozy Frankrijk op een ander spoor kan zetten.
Wat ik Sarkozy inderdaad moet nageven is dat hij veel energie heeft. Het punt is dat hij daar geen intelligente toepassing voor vindt. En dat maakt dat hij zoiets is als een stationair draaiende motor – die richt niet zoveel uit. Het probleem met het sarkozysme – en vandaar mijn eerder gebruik van het woord 'televisueel' – is dat het bij hem in de eerste plaats gaat om de uiterlijke verschijningsvormen. Ik bedoel: van een afstand ziet het er mooi uit en lijkt het allemaal te kloppen, maar als je dichterbij komt, zie je de vertekening en besef je dat het allemaal weinig voorstelt. Neem die maatregel die zoveel ophef veroorzaakte, de afschaffing van de bijzondere pensioenvoorzieningen. Als je kijkt wat er werkelijk gebeurd is, dan zul je zien dat door alle concessies die Sarkozy aan de vakbonden moest doen de afschaffing uit-

eindelijk duurder uitpakt dan het oorspronkelijke systeem. En zo zijn er talrijke voorbeelden. Het sarkozysme is een mislukking die zich verbergt achter een verleidelijk masker. De Fransen hebben dat inmiddels zelf ook door. Ze wilden hervormingen, maar begrepen al snel dat de alle kanten uitschietende maatregelen van Sarkozy geen project voor Frankrijk behelzen, maar neerkomen op ongecoördineerd activisme. De waarheid is dat er achter het spervuur van initiatieven en maatregelen van de afgelopen paar jaar geen enkele diepgaande, laat staan juiste, analyse van de Franse samenleving schuilgaat en er geen enkele visie uit spreekt over de richting waarin de Franse samenleving geleid zou moeten worden. Het sarkozysme staat garant voor een enorme agitatie in de media en voor warrige resultaten. Onderschat de wanorde niet die Sarkozy in dit land gecreëerd heeft, de wanorde in de hoofden inbegrepen. Niemand weet nog welke kant het op gaat. Zijn 'pragmatisme' doet hem de ene keer dit zeggen en de volgende keer het tegenovergestelde.

Op die manier blijft er weinig van het 'sarkozysme' over...
Ik ben me daar bewust van, maar werkelijk waar, ik weet niet één hervorming die goed en consequent is uitgevoerd. Uiteraard bestaan er geen perfecte hervormingen en zijn in de politiek altijd compromissen nodig, maar het is een kwestie van proportie. De voorstanders verdedigen zich door te zeggen dat de hervormingen Frankrijk in beweging hebben gebracht, maar voor zover ik het kan zien is de samenleving nooit tot stilstand gekomen. De impressie die het sarkozysme achterlaat, is er een van chaos, verwarring en inconsequentie. Leg mij eens uit waar de hervormingen van het publieke televisiebestel nu in hemelsnaam goed voor waren. Het Elysée kan nu de omroepbazen benoemen. Het enige waar dat toe leidt, is dat iemand als Philippe Val, hoofdredacteur van cartoonistenweekblad *Charlie Hebdo*, aan het hoofd komt van een grote radiozender. Het is te gek voor woorden! Sarkozy is een karikatuur van wat er niet werkt in dit land. Het piepkleine groepje technocraten om hem heen dat de decreten uitvaardigt staat geheel buiten de werkelijkheid. Het komt neer op de heerschappij van de monarchale incompe-

tentie, een oud en zeer welbekend Frans verschijnsel. Dat is de makke van het sarkozysme: een incompetente groep raadgevers, en een president die alleen beslist, zonder werkelijk te overleggen en te raadplegen. Hij maakt blunder na blunder, waarbij ik nog maar zwijg over de hervorming van de universiteit. Nodig is een president die past bij de moderne democratie, die beslissingen neemt na uitvoerige consultaties, discussies enzovoort. Wat we heruitgevonden hebben, is de figuur van de door de Voorzienigheid gezonden man (*homme providentiel*), die totaal niet spoort met de wereld waarin wij leven.

Tegelijk slaagt de Parti Socialiste er niet in om een vuist te maken of een alternatief te bieden.
Dat is juist, al zou het onterecht zijn om alle schuld op het conto van de socialisten te schuiven, want een bruikbaar voorbeeld is elders in Europa ver te zoeken. Er zijn dus twee kanten aan dat probleem: de specifieke Franse situatie en de bredere Europese context. Om met die laatste te beginnen: het probleem van de sociaaldemocratie in Europa is dat zij slachtoffer is van haar succes. Haar receptuur is geïncorporeerd geraakt in de algemeen geaccepteerde gewoontes en gedragingen en vormen een onderdeel van de Europese identiteit. Maatregelen die in 1945 nog baanbrekend waren, zijn tegenwoordig de gewoonste zaak van de wereld, tot op het punt dat ook rechtse regeringen zich er zonder probleem van bedienen. Maar dit historische succes wordt duur betaald in de zin dat de eigenheid van de sociaaldemocratie volkomen verwaterd is. Ze beschikt niet langer over een project dat tot de verbeelding spreekt of dat de toekomst incarneert. Sinds de Franse Revolutie hangt het succes van links samen met haar vermogen de incarnatie van de vooruitgang te zijn. Zij had het monopolie op de Geschiedenis en wist met grote vanzelfsprekendheid te stellen dat de zaak vroeg of laat ten goede zou keren. Dat is nu allemaal voorbij. Ten eerste omdat er niet langer een partij van het verleden (*le parti du passé*) bestaat en ten tweede omdat er geen radicaal andere toekomst meer aan de einder lonkt. Daarmee staat de linkse identiteit op het spel. Haar oorspronkelijke idee was een inrichting van de

samenleving te bewerkstelligen die wezenlijk verschilde van de bestaande. Dat hebben alle linkse partijen gemeen. Over het hoe en wat kon men van mening verschillen. De prijs die gematigd links betaalt voor het verdwijnen van een revolutionair perspectief, dat wil zeggen, van een radicale sociale transformatie, wordt veel te laag ingeschat. Het is natuurlijk waar dat zij inmiddels de mogelijkheid heeft uitgesloten om die transformatie met gewelddadige middelen te verwezenlijken, maar dat neemt niet weg dat zij die wel degelijk voor ogen had. Zij leefde in de veronderstelling dat er een alternatief was voor het kapitalisme en die veronderstelling deelde ze met de revolutionaire partijen. Het verdampen van dat revolutionaire perspectief zorgde ervoor dat links haar voornaamste belofte, namelijk om de koers van de Geschiedenis zo uit te stippelen dat zij op de gewenste bestemming uit zou komen, heeft verloren. Maar links heeft noch het geheim van het kapitalisme in pacht, noch de middelen om de weg daaruit te wijzen. Zij is nog slechts een oppositionele kracht die niet veel meer rest dan het van binnenuit corrigeren van een wereld die haar ontgaat. Rechts aarzelt niet om links het beetje gras dat er nog rest voor de voeten weg te maaien door wat sociale generositeit te tonen. Algemeen gezegd lijkt dat me de Europese situatie.

En in Frankrijk zelf? Wat is het specifieke probleem van de Parti Socialiste?

Veel van de verwarring die daar heerst wordt natuurlijk in de eerste plaats veroorzaakt door de politieke behendigheid van Sarkozy, die nooit een 'rechts' voorstel lanceert zonder tegelijk ook een 'links' voorstel te lanceren, bedoeld om de Parti Socialiste te destabiliseren. Maar noch die tactiek, noch de voortdurende leiderschapscrisis binnen de partij zelf voldoen om de verlamming van de socialisten te verklaren. Wat je ziet is dat daar waar een grondige herziening van het politieke vertoog vereist is, de Parti Socialiste wordt gehinderd door haar wijze van functioneren. Ze slaagt er zelfs niet meer in om zich van haar taak als oppositiepartij te kwijten. Het begint steeds duidelijker te worden dat de partij nooit de lering heeft getrokken uit het mitterrandisme. De Parti Socialiste is slechts een regeerpartij geweest zolang Mitterrand er was om haar te leiden en ondertussen het land te besturen. De werkverdeling was als volgt: Mitterrand hield zich bezig met de politiek, hetgeen de partij, aan wie hij overigens zelden advies vroeg, in staat stelde om te volharden in zijn wezen en zich te wijden aan de ideologie. Die tandem functioneerde al met al heel aardig. De leider besliste over de te volgen strategie en de tactiek, en de actieve leden, ministers inbegrepen, voerden zijn orders uit terwijl zij ondertussen de vlam van het dogma brandend hielden. Ze deden dat zo goed dat de Parti Socialiste, zelfs na een lange periode deel te hebben uitgemaakt van het regerend bestel, nog steeds geen echte regeerpartij is. Toen Mitterrand van het toneel verdween, was het alsof hij nooit bestaan had. Er is nooit lering getrokken uit de manier waarop hij de macht veroverde en uit de wijze waarop hij die macht uitoefende. Vandaar dat wij in Frankrijk ter linker zijde geen regeerpartij hebben, een rol die eigenlijk door de Parti Socialiste vervuld zou moeten worden. Voor de vorm speelde zij die rol onder Mitterrand, maar zonder hem tegelijk werkelijk cultureel, ideologisch en verbeeldingsgewijs te aanvaarden. Op dat terrein wordt zij nog steeds gedomineerd door extreem-links. Het enige wat er van Mitterrand beklijft, is een zeker bestuurlijk cynisme, hetgeen de partij niet verhindert door en door doctrinair te blijven. Dat is wat er uniek is aan de Parti Socialiste: zij is opportunistisch en sectarisch tegelijk!

Ook daar geldt dus in zekere zin wat u zegt over Frankrijk in zijn algemeenheid, namelijk dat het opgesloten zit in het verleden....

Ja, en wie wil begrijpen waarom dat zo is, moet ook beseffen dat Frankrijk het conservatiefste land ter wereld is. Het is een land waar de revolutie vaak wordt aangeroepen als het aankomt op het behoud van de status quo. Behoudzuchtig, dus niet conservatief in de ideologische zin van het woord. Het is geen toeval dat Frankrijk nauwelijks conservatieve ideologen kent. Ze zijn hier altijd contrarevolutionair en daarmee in zekere zin dus tegelijk óók revolutionair. Joseph de Maistre, Charles Maurras, dat zijn revolutionairen, maar in naam van het verleden. Wat ik bedoel te zeggen is dat Frankrijk een land is waar de mensen behoudend zijn in hun politieke gedragingen. Er bestaat een grote gehechtheid aan het verleden. Ook bij links: kijk maar naar de manier waarop '68 een dogma is geworden. '68 is goed. Punt. Ondertussen is het vermogen tot rationeel en kalm zelfonderzoek er ver te zoeken. Frankrijk is een land van taboes. Die situatie kan en zal niet eeuwig blijven voortduren. Immers: in conservatieve landen bestaat de goede kant uit het feit dat er vroeg of laat altijd een revolutie plaats zal vinden. En dan bedoel ik niet zozeer een revolutie die de revolutionairen maken, maar een die onstaat vanuit een plotselinge schok, die verplicht tot veranderen. Daar ben ik zeker van, al weet ik niet wanneer en ook niet vanuit welke hoek die zal worden aangezwengeld. Maar als de crisis inderdaad zo ernstig is als hij ons toeschijnt, dan zal de schok des te harder aankomen. Consequentie is dan wel dat de hele zaak in één klap rechtgezet zal zijn.

Glossarium

Assemblée Nationale

Parlementsgebouw op de linkeroever van de Seine tegenover Place de la Concorde. Verloor tijdens de Vijfde Republiek sterk aan betekenis, een trend die is voortgezet met de komst van *omniprésident* Sarkozy.

Banlieue

Voorstad. Hoewel er ook rijke voorsteden zijn, is het woord synoniem met de veelal door immigranten bevolkte probleemwijken rond Parijs, Lyon en Marseille.

Beurgeoisie

Maatschappelijk geslaagde Fransen van Arabische afkomst. Samentrekking van de woorden *beur* (*verlan* voor 'Arabe') en *bourgeoisie*.

BHL

De drie letters waarmee de filosoof Bernard-Henri Lévy door het leven gaat. Voor sommigen synoniem met de inflatie van het begrip 'intellectueel' in Frankrijk.

Communautarisme

Het denken in groepen langs culturele, etnische of religieuze lijnen. Wordt gezien als ondermijnend voor de eenheid van de Republiek.

Concours

Breed toegepast selectie-instrument in hoger onderwijs en ambtenarij. Poortwachter van de republikeinse meritocratie, maar weinig stimulerend voor de creativiteit noch voor de diversiteit.

Contrat Première Embauche

Wetsartikel waarmee de regering-Villepin in 2006 probeerde de jeugdwerkeloosheid terug te dringen. Werd synoniem voor *précarité*: bestaansonzekerheid. Massale protesten leidden tot intrekking van het gewraakte artikel.

Déclinologues

Term gemunt door oud-premier Dominique de Villepin ter aanduiding van een onsamenhangende groep onheilsprofeten, onder wie enkele prominente intellectuelen. Zij wijzen op het economische verval van Frankrijk en op het verlies van invloed van het land in de wereld.

Dreyfus-affaire

Strijd rond de Joodse officier Alfred Dreyfus, die in 1894 op valse gronden werd veroordeeld wegens spionage. De Affaire (met een hoofdletter!) is ook in het huidige Frankrijk voor veel intellectuelen een belangrijk referentiepunt.

Ecole des hautes études en sciences sociales (EHESS)

Beroemd instituut aan de boulevard Raspail in Parijs. Staat los van het ministerie van Onderwijs, maar verwierf desondanks de status van *Grand Etablissement*. De *fine fleur* van de Franse sociale wetenschappen is hieraan verbonden.

Ecole normale supérieure (Ulm)

Prestigieuze onderwijsinstelling in de rue d'Ulm in Parijs en daarom ook wel aangeduid als 'Ulm'. Oorspronkelijk bedoeld om de Republiek van een elite van verlichte leraren te voorzien en nog steeds kweekvijver van filosofen.

Entrisme

Door trotskisten beleden praktijk die eruit bestaat te infiltreren in gematigde linkse organisaties (media, politieke partijen en vakbonden) met de bedoeling de kaderleden het pad van de revolutie op te dirigeren.

Front antitotalitaire

Verenigde in de jaren zeventig intellectuelen tegen het totalitarisme in met name de Sovjet-Unie. Speelde een belangrijke rol in de (late) afrekening met het marxisme als dominante ideologie binnen het Franse intellectuele leven.

Le Grand Paris

Tien architectenteams van internationale allure dachten in opdracht van president Sarkozy na over de vraag hoe de Parijse voorsteden met het centrum verbonden kunnen worden. Onduidelijk hoe en wanneer dit plan gerealiseerd gaat worden.

Guerres de mémoire

Een gedeelde nationale herinnering (zie: *roman national*) maakte in Frankrijk plaats voor particuliere herinneringen. Op terreinen waar deze herinneringen afwijken, zoals de slavernij of het koloniale verleden, leidde dat tot hoogoplopende conflicten: ook wel herinneringsoorlogen genoemd.

Harkis

Arabische hulptroepen die aan Franse zijde meevochten tijdens de Algerijnse onafhankelijkheidsoorlog (1954-1962). Vanwege het treurige lot dat hen na afloop van het conflict te wachten stond noemde De Gaulle hen 'speelgoed van de Geschiedenis'.

Herinneringswetten

Hiermee mengde het Franse parlement zich in de herinneringsoorlogen. Een *loi mémorielle* schrijft een van staatswege opgelegde visie op het verleden voor. Vakhistorici protesteerden fel tegen deze praktijk, uiteindelijk met succes.

Homme providentiel

Verwijzing naar de koningen uit de tijd van het *Ancien régime* die hun macht direct aan God dankten en aan wie zelf ook goddelijke machten werden toegedicht. Synoniem voor een sterke leider die het volk uit de chaos en naar de overwinning leidt.

Hyperprésident

Bijnaam van Sarkozy die hij dankt aan zijn tomeloze energie. Deze energie plus zijn verlangen op alle fronten tegelijk aanwezig te zijn leverde hem een tweede bijnaam op: *omniprésident*.

Jusqu'au-boutisme

Synoniem voor compromisloosheid en ideologische starheid zoals die bij sommige vakbonden en politieke partijen heerst. Letterlijk: tot het gaatje gaan.

Laïcité

Neutraliteit die de Franse staat in acht dient te nemen ten opzichte van godsdienstzaken. Kreeg gestalte in 1905 met een wet die de scheiding tussen kerk en staat regelde. Grondbeginsel van de Franse Republiek.

Loi de 1905

Wet die scheiding tussen kerk en staat in Frankrijk vormgeeft en als zodanig een totem is van de Republiek. De scheiding is overigens minder absoluut dan vaak wordt aangenomen.

Lycée Henri-IV

Beroemd *lyceé* in het vijfde arrondissement in Parijs. President Pompidou gaf hier ooit les en Plantu, cartoonist van *Le Monde*, zat er op school. Het Henri-IV experimenteerde als eerste met *classes préparatoires* voor kinderen uit probleemwijken.

Néoréac

Nieuwe reactionair. Onsamenhangende groep intellectuelen waarvan sommigen in de jaren zeventig begonnen als maoïst of radicaler. Intellectuelensoort die het vooral goed doet op de covers van de weekbladen.

Paleizen van de Republiek

Aanduiding voor de Franse politieke machtscentra, vaak gevestigd in voormalige paleizen uit de tijd van het *Ancien régime*, zoals Hôtel Matignon (premier) of het Elysée (president). Subtiele verwijzing naar het monarchale karakter van de Republiek.

Pieds noirs

De in Frans-Algerije geboren en woonachtige Fransen. De ruim 1 miljoen *pieds noirs* (letterlijk: zwartvoeten) zagen zich na de onafhankelijkheid genoodzaakt uit te wijken naar het moederland. Hier wachtte hun een niet altijd even warme ontvangst.

Prépa

Gangbare afkorting voor *classe préparatoire*, een cursus van één à twee jaar ter voorbereiding op de toelatingsexamens (*concours*) van de *Grandes Ecoles*. De *prépa's* worden verzorgd door en op de *lycées*.

Quartier Latin

Historisch gedeelte van Parijs waar tal van prestigieuze onderwijsinstellingen gevestigd zijn, zoals het *lycée* Henri-IV, de Sorbonne, de *Ecole normale supérieure* en het *Collège de France*. Sinds '68 epicentrum van menig studentenprotest.

Racaille

Letterlijk: uitschot. Sinds Sarkozy de inwoners van een voorstad beloofde om de wijk schoon te maken met een hogedrukspuit, is het woord synoniem voor jeugdige criminelen uit de *banlieue*.

Roman national

Gemeenschappelijke visie op het verleden, die ten doel heeft de nationale identiteit te bevestigen en patriottisme te bevorderen. Kwam afgelopen eeuw onder druk te staan, tot ongerustheid van hen die vrezen voor de eenheid van de Republiek.

Sarkologues

Gangbare benaming van intellectuelen die zich bezighouden met de ontraadseling van het *sarkozysme*. Dat gaat niet zonder slag of stoot, aangezien de uitingsvormen ervan nogal eens veranderen.

School van Jules Ferry

Vervulde een belangrijke rol bij verankering van de Derde Republiek en de integratie van het platteland in de Franse natie. Wordt tegenwoordig geassocieerd met meritocratie, respect voor autoriteit en ouderwets, degelijk onderwijs.

Sciences Po

Gangbare afkorting voor het *Institut d'études politiques* aan de rue Saint-Guillaume in Parijs. Kweekvijver voor de politieke en bestuurlijke elite. Tal van ministers en presidenten studeerden er, inclusief Sarkozy, die de school echter zonder diploma verliet.

Soixante-huitard

Deelnemer aan de studentenopstand van 1968 die idealen van toen min of meer trouw gebleven is. Wordt ook pejoratief gebruikt door de beweging die de erfenis van '68 wil 'liquideren'.

Le Tout-Paris

Zij die er in Parijs toe doen. Kan intellectueel zijn, politiek, of cultureel. Enigszins vergelijkbaar met de Grachtengordel. Zweem van glamour en discreet geld. 's Zomers migreert le Tout-Paris naar badplaatsen als La Baule.

Les Trente Glorieuses

Equivalent van het Duitse *Wirtschaftswunder*, ofwel de naoorlogse economische bloeiperiode die liep van 1945 tot het begin van de oliecrisis in 1974. Frankrijk veranderde van een traditionele plattelandsamenleving in een moderne geïndustrialiseerde samenleving.

Ultralibéralisme

Liberalisme geldt in Frankrijk als verdacht; *ultralibéralisme* staat gelijk aan een hobbesiaanse jungle. De term wordt door zowel links als rechts als pejoratief gebruikt.

Verlan

Taal van de *banlieue*. *Verlan* ontstaat door een klank toe te voegen aan een woord en vervolgens de lettergrepen om te draaien. Bijvoorbeeld *flic* (agent) dat eerst *fliceu*, en vervolgens *keuf* wordt.

Bibliografie

Althusser, Louis, *Pour Marx*, La Découverte 1965.

Althusser, Louis, *Lire le Capital*, Presses Universitaires de France 1996.

Althusser, Louis, *L'Avenir dure longtemps*, Stock 2006.

Anderson, Perry, *La Pensée tiède* (met nawoord van Pierre Nora), Seuil 2005.

Aron, Raymond, *La Révolution introuvable*, Fayard 1968.

Audier, Serge, *La Pensée anti-1968*, Gallimard 2008.

Badiou, Alain, *Circonstances 4. De Quoi Sarkozy est-il le nom?*, Fécamp: Lignes 2007.

Badiou, Alain, *Circonstances 5. L'Hypothèse communiste*, Fécamp: Lignes 2009.

Barnavi, Elie, *Les Religions meurtrières*, Flammarion 2006.

Baubérot, Jean, *Faut-il réviser la loi de 1905 ?*, Presses Universitaires de France 2005.

Baubérot, Jean, *L'intégrisme républicain contre la laïcité*, La Tour-d'Aigues: l'Aube, 2006.

Baverez, Nicolas, *La France qui tombe*, Perrin 2003.

Becker, Jean-Jacques en Gilles Candar (red.), *Histoire des gauches en France* (2 delen), La Découverte 2004, 2005.

Benda, Julien, *la Trahison des clercs*, Grasset 2003.

Berstein, Serge, *Les Cultures politiques en France*, Seuil 2003.

Blanchard, Pascal en Nicolas Bancel (red.), *Culture post-coloniale 1961-2006*, Autrement 2005.

Blanchard, Pascal, Nicolas Bancel en Sandrine Lemaire, *La Fracture coloniale*, La Découverte 2006.

Bruckner, Pascal, *Tirannie van het berouw* (oorspronkelijke titel: *La Tyrannie de la pénitence*), Amsterdam: SUN 2008.

Chemin, Arielle en Judith Perrignon, *La Nuit de Fouquet's*, Fayard 2007.
Chouder, Isamane, Malika Latrèche en Pierre Tevanian, *Les filles voilées parlent*, La Fabrique 2008.
Cohen, Philippe, *BHL: Une biographie*, Fayard 2005.
Cohen, Philippe en Pierre Péan, *La Face cachée du Monde*, Fayard 2003.
Cohn-Bendit, Daniel, *Forget '68*, La Tour-d'Aigues: L'Aube 2008.
Comité invisible, *L'Insurrection qui vient*, La Fabrique 2007.
Courtois, Stéphane en Marc Lazar, *Histoire du Parti communiste français*, Presses Universitaires de France, 1992.
Debord, Guy, *La Société du spectacle*, Gallimard 1992.
Draï, Raphaël en Jean-François Mattéi, *La République, brûle-t-elle?*, Michalon 2006.
Ferry, Luc en Alain Renaut, *La Pensée 1968*, Gallimard 1985.
Finkielkraut, Alain, *La défaite de la pensée*, Gallimard 1998.
Finkielkraut, Alain, Qu'est-ce que la France?, Stock/Panama 2007.
Furet, François, *Le Passé d'une illusion*, Robert Laffont 1995.
G. Bruno (pseudoniem van Augustine Fouillée) *Le Tour de la France par deux enfants*, Belin 2000.
Gallo, Max, *Fier d'être français*, Fayard 2006.
Gallo, Max, *L'Ame de la France* (2 delen), Fayard, 2007.
Gauchet, Marcel, *Le Désenchantement du monde*, Gallimard 1985.
Gauchet, Marcel, *La Condition historique*, Stock 2003.
Gauchet, Marcel, *Religie in de democratie*. Het traject van de laïciteit (oorspronkelijke titel: *La Religion dans la démocratie*), Amsterdam: SUN 2006.
Gauchet, Marcel, *L'Avènement de la démocratie* (4 delen), Gallimard 2007.
Girardet, Raoul, *L'Idée coloniale en France de 1871 à 1962*, Hachette 1972.
Glucksmann, André en Raphaël Glucksmann, *Mai 1968 expliqué à Nicolas Sarkozy*, Denoël 2008.
Guénif-Souilamas, Nacira (red.), *La République mise à nu par son immigration*, La Fabrique 2006.
Hamon, Hervé en Patrick Rotman, *Les Intellocrates*, Ramsay 1981.
Hocquenghem, Guy, *Lettre ouverte à ceux qui sont passés du col Mao au Rotary*, Marseille: Agone 2003.

Jambet, Christian en Guy Lardreau, *L'Ange: Ontologie de la révolution*, Grasset 1976.
Julliard, Jacques en Michel Winock (red.), *Dictionnaire des intellectuels français*, Seuil 2002.
Lapeyronnie, Didier, *Le Ghetto Urbain*, Robert Laffont 2008.
Lazar, Marc, *Le Communisme, une passion française*, Perrin 2002.
Le Cour Grandmaison, Olivier (red.), *Le 17 octobre 1961: un crime d'État à Paris*, La Dispute 2001.
Lefeuvre, Daniel, *Pour en finir avec la repentance coloniale*, Flammarion 2008.
LeGoff, Jean-Pierre, *Mai 1968: l'héritage impossible*, La Découverte 1998.
Lévy, Bernard-Henri, *Ce grand cadavre à la renverse*, Grasset, 2007.
Lindenberg, Daniel, *Le Rappel à l'ordre*, Seuil 2002.
Lipovetsky, Gilles, *l'Ere du vide. Essais sur l'individualisme contemporain*, Gallimard 1983.
Lipovetsky, Gilles, *Les temps hypermodernes*, Grasset 2004.
Lipovetsky, Gilles, *Le Bonheur paradoxal*, Gallimard 2006.
Lyotard, Jean-François, *Le Tombeau de l'intellectuel et autres papiers*, Galilée 1984.
Manent, Pierre, *Cours familier de philosophie politique*, Fayard 2001.
Manent, Pierre, *La Raison des nations*, Gallimard 2006.
Marseille, Jacques, *La guerre des deux France: celle qui avance et celle qui freine*, Perrin 2004.
Maurin, Eric, *Le Ghetto français*, Seuil 2004.
Michelet, Jules, *Tableau de la France*, Complexe 1995.
Michelet, Jules, *Histoire de la France* (17 delen), Sainte-Marguerite sur Mer: Equateurs 2008.
Morin, Edgar, *Autocritique*, Seuil, 1995.
Morin, Edgar, Claude Lefort en Cornelius Castoriadis, *Mai '68. La Brèche* (*Suivi de* Vingt ans après), Fayard, 2008.
Moulier-Boutang, Yann, *La révolte des banlieues ou les habits nus de la République*, Editions Amsterdam 2005.
Muchielli, Laurent en Véronique Le Goaziou (red.), *Quand les banlieues brûlent…*, La Découverte 2006.
Nick, Christophe, *Les Trotskistes*, Fayard 2002.
Nicolet, Claude, *L'Idee républicain en France (1789-1924)*, Gallimard 1982.

Noiriel, Gérard, *A quoi sert 'l'identité nationale'*, Marseille: Agone 2007.
Nora, Pierre (red.) *Les Lieux de mémoire* (3 delen), Gallimard 1997.
Onfray, Michel, *Traité d'athéologie*, Grasset 2005.
Ory, Pascal en Jean-François Sirinelli, *Les Intellectuels en France*, Armand Colin 1986.
Ozouf, Mona, *Composition française*, Gallimard 2009.
Pétré-Grenouilleau, Olivier, *Les traites négrières*, Gallimard 2004.
Raynaud, Philippe, *L'Extrême gauche plurielle*, Autrement 2006.
Rémond, René, *La Droite en France de 1815 à nos jours*, Aubier 1954.
Rémond, René, *L'Invention de la laïcité*, Fayard 2005.
Rémond, René, *Quand l'Etat se mêle de l'histoire*, Stock 2006.
Ribbe, Claude, *Le Crime de Napoléon*, Privé 2005.
Roger, Philippe, *L'Ennemi américain: généalogie de l'antiaméricanisme français*, Seuil 2002.
Rollin, Olivier, *Tigre en papier*, Seuil, 2002.
Rosanvallon, Pierre, *Le Modèle politique fran*çais, Seuil 2004.
Roy, Olivier, *L'Islam mondialisé*, Seuil 2002.
Roy, Olivier, *La Laïcité face à l'islam*, Stock 2005.
Sarkozy, Nicolas, *La République, les religions, l'espérance*, Cerf 2004.
Schnapper, Dominique, *Qu'est-ce que l'intégration?*, Gallimard, 2007.
Sirinelli, Jean-François (red.), *Histoire des droites*, Tome I, II & III, Gallimard 1992.
Spitz, Bernard, *Le Moment républicain en France*, Gallimard 2005.
Stora, Benjamin, *La gangrène et l'oubli*, La Découverte 1991.
Stora, Benjamin, *La Guerre de l'Algérie – 1934-2004. La fin de l'amnésie*, Robert Laffont 2004.
Stora, Benjamin, *La Guerre des mémoires*, La Tour-d'Aigues: L'Aube, 2007.
Stora, Benjamin, *Les Guerres sans fin*, Stock 2008.
Taguieff, Pierre-André, *Les Contre-réactionnaires*, Denoël 2007.
Tillinac, Denis, *Dictionnaire amoureux de la France*, Plon 2008.
Tocqueville, Alexis de, *L'Ancien régime et la Révolution*, Gallimard 2003.
Tocqueville, Alexis de, *De la démocratie en Amérique*, Gallimard 2006.
Weber, Eugen, *La Fin des terroirs* (oorspronkelijke titel: *Peasants into Frenchmen*), Fayard 1983.
Weil, Patrick, *La France et ses étrangers*, Calmann-Lévy, 1991.
Winock, Michel, *Le Siècle des intellectuels*, Seuil 1999.

Namenregister

Zakenregister